UN CRI D'AMOUR
AU CENTRE DU MONDE

Kyoichi Katayama

UN CRI D'AMOUR AU CENTRE DU MONDE

Roman

Traduit du japonais par Vincent Brochard

LE GRAND LIVRE DU MOIS

Titre original : *Sekai no chushin de ai o sakebu*

© Kyoichi Katayama, 2001
© Presses de la Cité, un département de [place des éditeurs], 2006, pour la traduction française

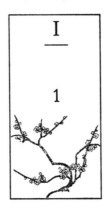

1

Le matin, lorsque j'ai ouvert les yeux, je pleurais. Il en allait tous les jours ainsi. Je n'aurais même pas su dire si c'était de la tristesse. Les larmes emportaient tous mes sentiments avec elles. Je suis resté un moment sur le futon dans cet état brumeux jusqu'à ce que maman arrive et m'exhorte : « Il est temps de se lever ! »

Il ne neigeait pas mais la chaussée avait blanchi sous l'effet du gel. Une bonne partie des voitures était équipée de chaînes. Le père d'Aki s'est assis à côté de mon père, qui s'est mis au volant. Je me suis placé à l'arrière avec la mère d'Aki. Nous avons démarré. Les hommes, à l'avant, se sont mis à parler des conditions météo. Ils se demandaient si nous arriverions à temps pour l'embarquement, si le décollage ne serait pas retardé. A l'arrière, nous ne parlions presque pas. Je contemplais, les yeux dans le vague, par la fenêtre, le paysage qui défilait. Les champs et les rizières qui s'étendaient de part et d'autre de la route étaient couverts de neige. La lumière du soleil filtrant à travers les nuages faisait scintiller la crête des montagnes au loin. Mme Hirose tenait sur ses genoux la petite urne contenant les cendres de sa fille.

Lorsque nous sommes parvenus au col, la neige est devenue plus profonde. Mon père s'est arrêté dans un parking et, aidé de M. Hirose, il a monté les chaînes sur les pneus. Je suis allé me dégourdir les jambes. Il y avait un bosquet en face du parking. La neige qui s'était accumulée à l'extrémité des branches se décrochait de temps en temps et chutait avec un bruit sourd sur le manteau blanc, immaculé, recouvrant l'herbe. En me retournant, j'ai pu voir la mer. La mer hivernale, paisible, calme, d'un bleu limpide. Où que je porte mon regard, j'étais aspiré vers des souvenirs pleins de nostalgie. J'ai vissé fermement un couvercle sur mon cœur ; j'ai tourné le dos à la mer.

La couche de neige sous les arbres du bosquet était épaisse. A cause des branches tombées, des sortes de souches qui affleuraient, j'ai eu plus de peine à avancer que je ne m'y attendais. Soudain, un oiseau a jailli du bosquet en poussant un cri strident. Je me suis immobilisé et j'ai tendu l'oreille. Tout était silencieux. On aurait dit qu'il n'y avait plus personne au monde. En fermant les yeux, j'ai entendu le cliquetis des chaînes des voitures qui passaient sur la nationale toute proche. J'ai eu l'impression de ne plus savoir où je me trouvais ni qui j'étais. Puis j'ai entendu les appels de mon père venant du parking.

Il n'y eut plus de problèmes une fois passé le col. Nous sommes arrivés à l'heure prévue à l'aéroport pour l'enregistrement. Nous nous sommes rendus à la porte d'embarquement.

—Merci à vous, encore une fois, insista mon père.

—Je vous en prie, c'est nous qui vous remercions, répondit M. Hirose en souriant. Je crois qu'Aki est heureuse que vous nous permettiez d'emmener Sakutaro avec nous.

J'ai posé les yeux sur la petite urne que serrait dans ses bras Mme Hirose. Est-ce qu'Aki était vraiment dans la boîte enveloppée de brocart ?

Je me suis endormi peu de temps après le décollage. Dans mon rêve, elle riait. Avec cet air un peu gêné qu'elle prenait dans ces cas-là. Elle m'appelait. Elle murmurait : « Saku'chan. » Je me souvenais encore distinctement du son de sa voix. Si seulement ce rêve avait été la réalité et la réalité, un rêve. Mais cela était impossible. C'est pour cela que je pleurais chaque fois que j'ouvrais les yeux. Pas parce que j'étais triste. Lorsqu'il me fallait quitter mon rêve pour la réalité, je devais franchir une faille et ce n'était qu'en versant des larmes que j'y arrivais. Je ne pouvais pas faire autrement.

Nous avions décollé au milieu d'un paysage de neige. Nous avons atterri dans une région touristique baignée d'un soleil estival, plus précisément à Cairns, en Australie, une jolie ville faisant face à l'océan Pacifique. Des rangs serrés de cocotiers formaient des promenades. Les hôtels de grand standing donnant sur le large se dressaient au milieu d'une végétation tropicale touffue, d'un vert éclatant. Des yachts de tailles variées étaient amarrés à la jetée. Le taxi nous menant à l'hôtel longea la pelouse qui bordait le rivage. Beaucoup de gens étaient sortis faire leur promenade du soir.

— On se croirait à Hawaï, n'est-ce pas ? s'exclama la mère d'Aki.

Je maudissais cette ville intérieurement. Rien n'avait changé depuis quatre mois. Certes, on était passé d'une saison à l'autre. En Australie, le début du printemps avait laissé la place au plein été. Mais c'était tout. C'était bien la seule chose qui avait changé.

Nous ne devions rester à l'hôtel qu'une nuit. Nous reprenions un vol le lendemain matin. Comme il n'y avait pas de décalage horaire avec le Japon, le temps s'était écoulé normalement. Après le dîner, je suis monté dans ma chambre et je me suis allongé sur le lit. Je suis resté les yeux dans le vide, tournés vers le plafond. J'ai essayé de me persuader qu'Aki n'était pas là.

Quatre mois auparavant, Aki n'avait pas été là non plus. Nous étions partis faire le voyage de classe ici en la laissant au Japon. Le vol reliait une ville japonaise proche de l'Australie à une ville australienne proche du Japon et il n'avait pas été nécessaire de faire escale pour se réapprovisionner en carburant. Il y avait je ne sais quoi dans cette ville qui d'emblée m'avait charmé. Je m'étais dit que c'était une belle ville. Rien n'y était ordinaire, tout était singulier, original. A l'époque, j'aurais voulu découvrir tout cela avec Aki. Mais maintenant, quoi que je voie, je ne ressentais plus rien. Qu'est-ce qui aurait bien pu m'intéresser ici ?

Je devais me rendre à l'évidence : Aki avait disparu. J'avais perdu Aki. Tout ce qu'il y avait à voir n'existait plus pour moi. L'Australie pas plus que l'Alaska, la Méditerranée pas plus que l'océan Antarctique. Où que j'aille dans le monde, cela aurait été pareil. Quelle que soit la beauté du paysage, si splendide soit le panorama, je n'aurais pas pu être ému, j'aurais été incapable de les apprécier. La personne qui me donnait le désir de voir, de savoir, de ressentir... de vivre, cette personne avait disparu. Elle ne reviendrait pas vivre avec moi.

Au cours des quatre mois précédents, une saison avait passé. Une jeune fille avait quitté ce monde, brutalement. Si l'on pensait aux six milliards d'êtres humains, c'était certainement un événement de peu d'importance. Mais moi, je ne demeurais pas au même endroit que ces six milliards d'êtres humains. Moi, j'étais là où la mort lave à grande eau tous les sentiments. C'était là que je demeurais, moi qui ne voyais rien, qui n'entendais rien,

qui ne ressentais rien. N'était-ce pas là que j'étais ?
Si je ne m'y trouvais pas, où étais-je donc alors ?

Aki et moi, nous nous sommes retrouvés dans la même classe en quatrième. Jusqu'alors je ne connaissais ni son nom ni son visage. Par un pur hasard, nous avons été désignés par les professeurs principaux comme représentants des élèves de la section de quatrième, qui comptait neuf classes. En tant que représentants, notre première mission fut d'aller rendre visite à l'hôpital à un camarade du nom d'Ooki qui s'était cassé la jambe dès la rentrée. Avec l'argent récolté auprès des professeurs et des élèves, nous nous étions arrêtés sur le chemin pour acheter des gâteaux et des fleurs.

Ooki, étendu sur son lit, avait la jambe enserrée dans un plâtre d'un volume énorme. Je ne connaissais quasiment pas ce camarade, qui avait été hospitalisé le lendemain même de la rentrée. Je laissai le soin de faire la conversation au malade à Aki, qui avait été dans sa classe l'année précédente, et je me mis à contempler la ville depuis la fenêtre de la chambre, qui se trouvait au troisième étage. Des magasins de fleurs, de fruits et légumes, des pâtisseries étaient alignés le long de l'avenue, formant une petite zone commerciale. De l'autre côté s'élevait la colline au sommet de laquelle se dressait le château. A travers les feuillages d'un vert tendre[1], on entrapercevait la tache blanche du donjon.

Ooki, qui parlait jusque-là avec Aki, lança soudain dans ma direction :

— Alors, Matsumoto, ton prénom, c'est donc Sakutaro.

— Oui, répondis-je en me retournant depuis la fenêtre.

— Il est quand même drôle, ton prénom, reprit-il.

— Qu'est-ce qu'il a de drôle ?

— Je ne sais pas, moi, il fait penser à Sakutaro Hagiwara, le poète.

Je ne pris pas la peine de répondre.

— Et toi, tu connais mon prénom ?

— C'est Ryûnosuke.

— Comme Ryûnosuke Akutagawa, l'écrivain.

Tout à coup je compris où Ooki voulait en venir. Celui-ci explicita sa pensée avec un air de délectation :

— On voit que nos parents sont des amateurs de littérature, non ?

---

1. Au Japon, la rentrée des classes a lieu au début du mois d'avril. (N.d.T)

— De mon côté, c'est surtout une marotte de mon père, soulignai-je.

— Tu veux dire que c'est ton père qui a choisi ton prénom ?

— Oui.

— Cela t'ennuie de parler de ça, visiblement.

— Non, mais toi tu peux t'estimer heureux de t'appeler Ryûnosuke.

— Pourquoi ?

— Qu'est-ce que tu aurais pensé de Kinnosuke ?

— Qu'est-ce que c'est que ce prénom ?

— C'était le vrai prénom de Natsume Sôseki.

— Ah, je ne savais pas.

— Si le livre préféré de tes parents avait été *Le Pauvre Cœur des hommes*, par exemple, tu te serais appelé Kinnosuke Ooki !

— Je ne peux pas le croire ! protesta-t-il en riant d'un air comique. Personne n'oserait donner à son fils un nom pareil de nos jours !

— C'est juste un exemple que je donnais. Mais si tu portais ce nom, c'est sûr que tu serais la risée de tout le collège.

Ooki fit une drôle de mine. Je poussai plus loin :

— Avec un nom pareil, tu en aurais tellement voulu à tes parents que tu serais déjà parti de la maison. Tu t'entraînerais pour devenir champion de catch.

— Pourquoi de catch ?

— Quand on s'appelle Kinnosuke Ooki, je ne vois pas ce que l'on peut faire d'autre !

— Tu crois ?

Aki était en train de placer dans un vase les fleurs qu'elle avait apportées. Ooki et moi avons ouvert la boîte de gâteaux, et, tout en grignotant, nous avons continué à deviser à propos de l'amour de nos parents pour la littérature. Au moment de partir, Ooki nous a crié :

— J'espère que vous reviendrez ! Vous ne pouvez pas savoir comme c'est ennuyeux de rester allongé toute la journée.

— D'autres camarades viendront bientôt à tour de rôle te faire rattraper les cours.

— Pour ça, ce n'est pas la peine de vous donner du mal !

— Mais Sasaki elle-même a dit qu'elle te donnerait un coup de main, fit Aki en citant le nom de cette fille, qui était considérée comme une des plus jolies.

— Ah, pas mal, ai-je raillé pour le taquiner, c'est ce qui s'appelle être bien soigné.

Sur le chemin du retour, j'ai eu l'idée subite de proposer à Aki de gravir la colline. Il était trop tard pour retourner au collège mais pas assez tard pour rentrer directement à la maison pour le dîner. Elle a dit « D'accord » et elle m'a accompagné. Pour monter jusqu'au château, il y avait un accès par le nord et un autre par le sud. Nous avons emprunté le côté sud. L'entrée nord constituait en quelque sorte l'accès principal et le côté sud, celui de derrière. Le sentier y était plus étroit et plus abrupt et l'on y rencontrait moins de promeneurs. A un certain moment on débouchait sur un jardin public à hauteur duquel les deux chemins se rejoignaient. Nous avons marché tranquillement en parlant de choses et d'autres.

— Tu écoutes du rock ? m'a demandé Aki.

— Oui, répondis-je en me tournant légèrement vers elle, pourquoi ?

— Parce que depuis l'année dernière j'ai vu que tu échangeais pas mal de CD avec tes amis.

— Et toi, tu écoutes du rock aussi ?

— Certainement pas. Cela me donne mal à la tête.

— D'écouter du rock ?

— Oui, cela me fait le même effet que les haricots au curry que l'on nous sert à la cantine.

— C'est étonnant !

— Et ton sport, c'est le kendo, n'est-ce pas ?

— Oui.

— Ce n'est pas grave si tu ne vas pas à l'entraînement aujourd'hui ?

— J'ai prévenu le professeur que je serais absent.

Aki resta songeuse un moment puis exprima le fond de sa pensée :

— C'est étrange quand même, quelqu'un qui pratique le kendo d'un côté et qui écoute du rock de l'autre. Je trouve que cela ne va pas du tout ensemble.

— Mais dans le kendo, quand on a frappé la tête ou une autre partie du corps de son adversaire, on a une sensation de détente. C'est pareil avec le rock.

— Mais tu n'as pas toujours ce sentiment de détente, si ?

— Toi, tu ne connais jamais cette sensation ?

— C'est-à-dire que je ne comprends pas vraiment ce que tu veux dire par « sensation de détente ».

En fait, moi non plus je ne savais pas vraiment ce que je voulais dire par là.

Nous avons continué de marcher tout en maintenant entre nous la distance qui convient entre un collégien et une collégienne. Je pouvais sentir cependant l'odeur suave de shampooing qui s'exhalait de sa chevelure. Elle était bien différente de celle de l'armure que j'utilisais au kendo et qui agressait les narines. Si un tel parfum nous accompagnait partout où nous allons d'un bout à l'autre de l'année, il est probable que nous n'éprouverions pas le besoin d'écouter du rock ou de taper sur quelqu'un avec un bâton en bambou.

La mousse avait poussé par endroits et tapissait de vert les marches de pierre dont les angles étaient usés. La terre dans laquelle elles étaient encastrées était ocre et semblait rester humide tout au long de l'année. Tout à coup, Aki s'est exclamée :

— Des hortensias !

En y prêtant attention, en effet, je vis que quelques hortensias avaient poussé entre le sentier et la paroi à droite. Ils avaient donné naissance à une dizaine de fleurs en bouton.

— J'aime beaucoup la fleur de l'hortensia, murmura Aki avec une expression d'extase sur le visage. Tu viendras les regarder avec moi lorsque les fleurs seront écloses ?

— Oui, bien sûr, répondis-je, mais il faut que nous avancions si nous voulons aller jusqu'au sommet.

Nous habitions une maison située dans l'enceinte de la bibliothèque municipale. Cette construction blanche à deux étages, jouxtant le bâtiment principal, était d'un style emblématique des débuts de l'occidentalisation de l'architecture japonaise. L'édifice avait été classé comme faisant partie du patrimoine de la ville, de sorte que les occupants ne pouvaient y procéder à de quelconques travaux d'aménagement sans autorisation. Il est tout à l'honneur d'un édifice d'être classé, mais c'est une chose dont les gens qui l'habitent n'ont vraiment aucune raison de se féliciter. Mon grand-père avait déclaré que cette maison n'était pas faite pour les personnes âgées et avait fini par déménager. Une maison que les personnes âgées trouvent incommode n'est pas davantage fonctionnelle pour les plus jeunes générations. Mais les inconvénients pratiques de notre habitation s'accordaient avec une certaine excentricité de mon père, dont ma mère n'était pas non plus tout à fait exempte, et qui n'était pas pour déplaire à l'enfant que j'étais.

Je n'ai aucune idée des circonstances qui avaient amené ma famille à s'installer là. Si l'on met de côté l'originalité de mon père, cela n'avait sans doute pas été sans lien avec le fait que ma mère travaillait à la bibliothèque. Ou bien est-ce que cela était dû à des démarches effectuées par mon grand-père du temps où il était parlementaire ? Il n'en demeurait pas moins que celui-ci ne nous rendait jamais visite de son propre chef, ne voulant rien savoir, ni de près ni de loin, du passé abominable qui flottait, à l'entendre, dans cette demeure. La distance entre les deux bâtiments n'était que de trois mètres à l'endroit le plus proche, si bien que je m'amusais à dire, en exagérant, que depuis ma chambre, située à l'étage, je pouvais lire les livres que feuilletaient les lecteurs placés près des fenêtres.

J'étais un enfant dévoué et depuis mon entrée au collège j'allais aider ma mère à la bibliothèque lorsque je n'avais pas d'activité extrascolaire. Les jours de forte affluence, le samedi après-midi, le dimanche et les jours fériés par exemple, je me postais au comptoir pour entrer dans l'ordinateur le code-barres des livres empruntés ou bien j'allais déposer les ouvrages rendus dans les wagonnets prévus à cet effet pour les replacer ensuite sur les étagères. J'y mettais le même cœur que le héros du livre que l'on me lisait enfant, *La Nuit du train de la voie lactée*. Bien entendu, ma mère aurait pu se passer de mes services, mais il ne s'agissait pas pour autant d'un travail bénévole. Je recevais une petite rémunération qui passait presque tout entière dans l'achat de CD.

Nous avons continué, Aki et moi, à avoir une relation très ordinaire. Les occasions de nous retrouver étaient nombreuses, mais je n'avais aucune conscience d'une attirance particulière pour elle. Peut-être était-ce précisément cette trop grande proximité qui m'empêchait de ressentir sa séduction. Car, dans la classe, de nombreux garçons n'étaient pas insensibles à cette fille pour le moins jolie, qui avait bon caractère et était travailleuse. De sorte que je ne tardai pas à susciter la jalousie et à m'attirer l'hostilité de certains d'entre eux. Pendant les heures de sport, quand nous jouions au foot ou au basket, on venait régulièrement et intentionnellement me bousculer ou me faire des croche-pieds. Il ne s'agissait pas d'actes de violence caractérisée, mais on me faisait bien comprendre qu'on avait quelque chose contre moi. Au début, j'étais loin d'en soupçonner la raison. Je constatais simplement qu'il y avait des garçons qui ne m'aimaient pas. Je ne savais pas pourquoi et, quand j'y pensais, je me sentais meurtri.

La révélation, tardive, se fit inopinément à l'occasion d'un événement insignifiant. En vue d'un spectacle donné par la section des quatrièmes, chaque classe était censée préparer une pièce de théâtre. Dans la nôtre, la solidarité féminine ayant joué à plein, le vote bascula en faveur de *Roméo et Juliette*. Les filles se coalisèrent pour confier le rôle de Juliette à Aki. Quant à Roméo, compte tenu du manque d'enthousiasme général et en application d'une règle non écrite, il fut décidé que ce serait le représentant masculin des élèves qui s'en chargerait, autrement dit moi. Ainsi, nous devions elle et moi nous produire sur scène.

Sous l'impulsion des filles, les répétitions commencèrent dans une atmosphère pleine d'entrain. Dans la scène de la fenêtre, quand Juliette déclare : « O Roméo, Roméo ! Pourquoi es-tu Roméo ? Renie ton père, refuse ton nom ; ou si tu ne le fais, sois mon amour juré », Aki, déjà sérieuse de coutume, mettait une telle gravité qu'elle donnait envie de s'esclaffer. Et quand la nourrice, jouée par l'animatrice, s'écriait : « Mais par mon pucelage quand j'avais douze ans ! je lui ai dit de venir », toute l'assistance s'écroulait de rire. A un moment, les deux personnages se retrouvent dans la chambre de Juliette alors que le jour se lève. « Plus clair, toujours plus clair ; Plus noire, toujours plus noire, notre désolation », murmure Roméo qui s'apprête à partir. Les deux amants doivent échanger un baiser. Juliette retient Roméo dont les cheveux retombent en arrière. Ils se regardent. Ils s'embrassent par-dessus la balustrade du balcon.

— Dis donc, je trouve que tu la colles un peu trop, la petite Hirose, insinua un garçon.

— Tu te crois tout permis parce que tu as de bonnes notes, gronda un autre.

— Qu'est-ce que vous me voulez ? répondis-je.

— Tais-toi, vociféra le premier en me donnant un coup dans le ventre.

L'intention n'était pas de me faire mal mais plutôt de m'intimider et, de toute façon, j'avais eu le réflexe de me raidir pour amortir le choc, si bien que je ne sentis presque rien. Puis les deux garçons, comme s'ils s'étaient soulagés, tournèrent les talons et s'éloignèrent en haussant les épaules. Cet épisode, loin de me laisser un sentiment d'humiliation, dissipa subitement le malaise qui me tourmentait depuis si longtemps. Je me sentis rafraîchi, régénéré. Quand on fait réagir une solution de phénol rouge avec un alcali et que l'on ajoute au compte-gouttes de l'acide, il y a neutralisation et la solution aqueuse devient limpide. C'est exactement ce qui m'arrivait. Le monde m'apparut dans une transparence nouvelle. Je ruminai longuement la réponse que les circonstances m'avaient fortuitement apportée. C'était donc ça, les autres garçons étaient jaloux de moi. J'étais devenu leur ennemi à cause de tout le temps que je passais en compagnie d'Aki.

Or, à en croire les ragots, celle-ci sortait avec un grand du lycée. Je ne le connaissais pas personnellement et on ne s'était jamais adressé la parole, mais j'avais entendu les filles de la classe y faire allusion. Il était grand, beau garçon et jouait au volley. «Tu parles, le kendo, ça c'est un sport d'homme», avais-je pensé.

A cette époque, Aki avait pris l'habitude d'écouter la radio en faisant ses devoirs. Je connaissais son émission préférée. Pour l'avoir moi-même écoutée quelquefois, j'en avais saisi en gros le principe : des garçons et des filles au QI pas très élevé envoyaient des cartes postales à la station en espérant que l'animateur à la langue bien pendue les lirait à l'antenne. Je décidai d'envoyer un message, moi aussi, à l'intention d'Aki. Je me demande encore ce qui m'a pris ce jour-là. Etait-ce une façon détournée d'exprimer ma frustration de la voir sortir avec ce garçon du lycée ? Est-ce que je cherchais à me libérer du trouble qu'elle provoquait en moi sans que je m'en aperçoive ? Il est probable que ma vraie motivation était surtout mon amour naissant sur lequel je n'avais pas encore ouvert les yeux.

Je conçus un plan à faire se dresser les cheveux sur la tête. Je visais l'émission spéciale diffusée la veille de Noël sous le titre «Messages des amoureux de la nuit de Noël». Naturellement la concurrence allait être d'autant plus vive. Pour avoir une chance d'être sélectionné et lu effectivement à l'antenne, il fallait trouver un moyen d'émouvoir et d'attirer l'attention.

«Et nous passons maintenant au message suivant. Il est signé de Roméo, en quatrième :

"Aujourd'hui, j'aimerais écrire au sujet de ma copine de classe A. H. Elle a les cheveux longs. Elle est toujours calme. Elle a le visage fin et délicat comme le personnage de Nausicaa dans le manga de Miyazaki. Elle a bon caractère ; elle a été longtemps représentante de classe. En vue de la fête du collège, nous avons préparé la pièce *Roméo et Juliette*. Elle jouait Juliette et moi, Roméo. Mais dès le début des répétitions son état de santé s'est détérioré et elle s'est mise à manquer l'école. Il a fallu trouver quelqu'un d'autre pour jouer son rôle et j'ai eu une autre fille pour partenaire. Je ne l'ai compris que plus tard, mais, en fait, elle était atteinte de leucémie. Elle est encore sous traitement à l'hôpital. Un camarade de classe qui lui a rendu visite a dit qu'à cause des médicaments ses longs cheveux étaient tombés. Elle a tellement maigri qu'on la reconnaît à peine. Elle va certainement passer Noël dans son lit, à l'hôpital. Avec un peu de chance, elle est peut-être en train d'écouter cette émission. Comme elle n'a pas pu jouer le rôle de Juliette lors de la représentation, je voudrais lui dédier la chanson 'Tonight' de *West Side Story*." »

— Qu'est-ce que ça veut dire ? a rugi Aki le lendemain au collège en m'agrippant. C'est toi qui as envoyé la carte d'hier ?

— De quoi tu parles ?

— Ne fais pas l'idiot. Un Roméo, en classe de quatrième... Pourquoi cette histoire de leucémie ? Elle a perdu ses cheveux, elle est maigre à faire peur. Comment peut-on inventer des mensonges pareils ?

— Oui, mais au début j'ai dit pas mal de compliments.

— Le visage fin et délicat de Nausicaa, c'est ça ? répondit-elle en poussant un long soupir. Matsumoto, tu peux écrire tout ce que tu veux à mon sujet, je m'en fiche, mais tu sais, il y a des gens qui sont vraiment malades et qui souffrent. Je n'ai rien contre la plaisanterie, mais je ne trouve pas drôle de se servir de ces gens pour attirer la compassion.

J'étais mortifié par la réaction responsable d'Aki. En même temps, et plus encore, sa colère m'allait droit au cœur. J'avais l'impression qu'un souffle frais venait m'emplir la poitrine. Il m'apportait, avec une inclination redoublée pour elle, la conscience soudaine que j'étais un garçon et qu'elle était une fille, et la satisfaction d'être moi.

En troisième, nous nous sommes retrouvés dans des classes différentes. Mais comme nous avions été reconduits dans nos fonctions de représentants des élèves, nous continuions de nous voir une fois par semaine. En plus, vers la fin du premier trimestre, Aki commença à venir fréquemment travailler à la bibliothèque. Pendant les vacances d'été, elle vint même tous les jours. Comme de mon côté mes activités extrascolaires n'avaient pas encore repris, je venais souvent pour donner un coup de main à ma mère et me faire de l'argent de poche. Aki préparait studieusement l'examen d'entrée au lycée et passait ses matinées dans la salle de lecture. Les occasions de nous voir se multiplièrent. Finalement, nous nous sommes mis à réviser ensemble. Nous sortions discuter pendant les pauses en dégustant des glaces.

— Je n'arrive pas à sentir la pression, lui dis-je. Les vacances sont là, c'est le moment ou jamais, et je ne parviens toujours pas à m'investir dans les révisions.

— Oui, mais même sans forcer, toi, tu as encore de la marge.

— Ce n'est pas ça le problème. Je viens de lire la revue *Newton*. Il paraît qu'aux alentours de l'an 2000 une petite météorite va entrer en collision avec la terre et va bouleverser l'équilibre écologique.

— Non ! répondit Aki en prenant l'air ébahi tout en léchant sa glace du bout de la langue.

— Ce n'est pas drôle, ai-je poursuivi le plus sérieusement du monde, la couche d'ozone diminue d'année en année, les forêts tropicales ne cessent de perdre du terrain. Si ça continue comme ça, les espèces vivantes ne pourront plus survivre sur la surface de la terre quand nous aurons atteint l'âge de nos grands-parents.

— C'est affreux.

— Tu dis ça, mais on voit bien que tu n'en penses pas un mot.

— Excuse-moi, reprit-elle, mais je n'arrive pas à y croire. Tu y arrives, toi ?

— Mais ce jour viendra même si tu n'y crois pas.

— Alors ce n'est pas la peine de se tracasser.

Lorsqu'elle a dit cela, j'en ai été persuadé : ce n'était pas la peine de se tracasser.

— On a beau se projeter par la pensée dans le futur, on ne sait pas ce que l'avenir nous réserve, ajouta-t-elle.

— Il s'agit d'un événement qui aura lieu dans dix ans.

— Nous aurons vingt-cinq ans, murmura-t-elle, les yeux perdus dans le lointain, et ni toi ni moi ne savons ce qui sera arrivé entre-temps.

Tout à coup, les hortensias de la colline me sont revenus à l'esprit. Depuis notre promenade, ils devaient avoir fleuri deux fois mais nous n'étions pas allés les voir. Chaque jour, de nouvelles choses survenaient et j'avais fini par oublier complètement les hortensias en fleur. C'était sans doute aussi le cas d'Aki. La collision avec la météorite, la destruction de la couche d'ozone, j'avais le sentiment que tout cela n'empêcherait pas les hortensias de s'épanouir à chaque début d'été, même en l'an 2000. Ce n'était pas la peine de se dépêcher pour aller les voir. Nous avions tout le temps devant nous.

Les vacances d'été se sont écoulées ainsi. Tout en me lamentant sur l'avenir écologique de la planète, je révisais mes cours d'histoire : « la guerre d'extermination des nazis », « l'ascension de Cromwell ». Je résolvais des problèmes de maths avec des équations simultanées et des fonctions du second degré. De temps en temps j'allais à la pêche avec mon père. J'achetais de nouveaux CD. Je discutais avec Aki en mangeant des glaces.

« Saku'chan ! » Lorsqu'elle m'a appelé ainsi pour la première fois, j'ai failli avaler de travers le morceau de glace qui était en train de fondre dans ma bouche.

— Comment se fait-il que tu m'appelles comme ça tout à coup ?

— C'est comme ça que ta maman t'appelle, non ? répondit Aki en souriant.

— D'accord, mais tu n'es pas ma mère, que je sache.

— Cela ne fait rien, c'est décidé, à partir de maintenant je t'appelle Saku'chan.

— Tu pourrais me demander mon avis.

— C'est trop tard.

Cette façon de m'imposer à tout prix sa volonté me laissa la troublante impression de ne plus savoir qui j'étais au juste.

Le deuxième trimestre venait à peine de commencer lorsqu'elle apparut un jour devant moi
pendant la récréation de midi, un cahier à la main.

— Tiens, regarde, dit-elle en déposant le cahier
sur la table.

— Qu'est-ce que c'est ?

— Un journal intime croisé.

— Quoi donc ?

— Saku'chan, tu ne sais pas ce que c'est ?

— Tu ne veux pas éviter de faire ce genre de
chose à l'école ? ai-je grommelé sans répondre à la
question, en jetant un coup d'œil autour de nous.

— Si cela se trouve, tes parents ont fait la même
chose.

Est-ce qu'elle finirait un jour par écouter ce que
je lui disais ?

— C'est un journal intime que s'échangent un
garçon et une fille et dans lequel ils notent à tour de
rôle ce qui leur est arrivé dans la journée, leurs
pensées, leurs sentiments.

— Mais c'est ennuyeux à mourir, un truc pareil.
Ne compte pas sur moi. Tu ne veux pas trouver
quelqu'un d'autre dans ta classe ?

— Mais on ne peut pas faire cela avec n'importe
qui.

Aki semblait irritée.

— En tout cas, je suppose qu'il faut écrire là-
dedans au stylo bille ou au stylo à plume.

— Ou avec des crayons de couleur.

— Et on ne peut pas utiliser le téléphone ?

Visiblement, on ne pouvait pas utiliser le téléphone. Elle se tenait les bras dans le dos et regardait alternativement mon visage et le cahier posé sur la table. J'ai fait le geste de l'ouvrir mais elle a rabattu précipitamment la couverture.

— Tu le liras une fois rentré à la maison. C'est la règle pour ce genre de journal.

Sur la première page, elle se présentait : année de naissance, signe astrologique, groupe sanguin, loisirs, plat préféré, couleur préférée, portrait psychologique. Sur la page suivante, elle s'était dessinée à l'aide de crayons de couleur en indiquant en regard de ses mensurations : « secret », « secret », « secret ». Je suis resté face au cahier grand ouvert et j'ai murmuré : « C'est trop nul ! »

Le professeur principal de la classe d'Aki est décédée à Noël de cette année-là. Elle était encore en parfaite santé lors du voyage de classe du premier trimestre, mais elle n'était plus reparue du tout à partir du début du deuxième trimestre. Aki me parlait de temps en temps de sa maladie. On disait qu'elle avait un cancer. Elle devait avoir la cinquantaine.

L'ensemble des élèves de la classe d'Aki ainsi que les représentants des classes de troisième assistèrent aux funérailles, qui eurent lieu le lendemain du dernier jour du trimestre. Comme tous les élèves ne pouvaient tenir dans le temple, une partie d'entre eux est restée debout à l'extérieur. Il gelait à pierre fendre. Je me demandais combien de temps encore allaient durer les prières. Nous nous serrions les uns contre les autres en essayant de ne pas mourir de froid.

Au bout d'une éternité, l'office a pris fin et les oraisons ont commencé. Le directeur a été le premier à prendre la parole puis d'autres personnes ont suivi, parmi lesquelles Aki. Mes camarades et moi-même à l'extérieur sommes soudain sortis de notre engourdissement et avons tendu l'oreille. Elle prononçait son discours d'une voix parfaitement calme, contenant son émotion. Evidemment, nous ne l'entendions pas directement. Ses mots nous parvenaient à travers les micros disposés dans la cour. Le réglage était défectueux, la transmission était parasitée, mais j'ai tout de suite reconnu la voix d'Aki. Elle était empreinte de tristesse et elle avait, encore plus que de coutume, les inflexions d'une voix adulte. J'ai été saisi de détresse en me rendant compte qu'Aki était en train d'aller de l'avant et que nous, nous restions sur place, englués dans l'enfance.

En proie à une sorte de frénésie, j'ai tenté de repérer sa silhouette dans la rangée des proches de la défunte qui nous faisait face. Je me suis faufilé parmi l'assistance et je l'ai vue apparaître dans mon champ de vision. Elle se tenait au micro à l'entrée du sanctuaire. Elle lisait son texte, légèrement penchée. A cet instant, ce fut comme si j'avais eu une révélation. Elle portait son uniforme de collégienne bleu marine habituel. Cependant, elle me faisait tout à coup l'effet d'être quelqu'un d'autre. Certes, c'était toujours Aki, mais quelque chose de crucial avait changé. Je ne prêtais presque plus aucune attention au contenu de ses paroles. Je n'arrivais pas à détourner mes yeux de sa silhouette, au loin.

— On reconnaît bien là Hirose, dit quelqu'un tout près de moi.

— Elle n'en a pas l'air, mais elle a du cran, renchérit un autre.

A ce moment-là, le ciel chargé de lourds nuages s'entrouvrit et un rayon de soleil se répandit dans la cour. Il atteignit également Aki, qui, nimbée de lumière, se détacha distinctement sur le seuil du sanctuaire empli de ténèbres. Oui, c'était bien l'Aki que je connaissais. Celle qui voulait, sans pitié, mener avec moi ce journal intime, celle qui voulait à tout prix m'appeler « Saku'chan » comme un petit garçon, celle dont le cœur avait d'autant moins de secrets pour moi qu'elle était constamment attachée à mes pas. Elle se tenait devant moi, jeune fille sur le point de devenir adulte, pareille à du cristal de roche posé sur une table et qui, vu sous un certain angle, se met tout à coup à miroiter magnifiquement.

J'eus soudain l'envie irrésistible de me lancer vers elle. Mon corps tout entier fut gagné par une joie intense tandis que je prenais conscience pour la première fois qu'à l'égal des autres garçons j'étais tombé amoureux. Maintenant, je comprenais la jalousie que je m'étais attirée de la part de mes camarades. Cela allait même plus loin, je ressentais de la jalousie à l'égard de moi-même. J'avais au fond de la bouche le goût amer de l'envie pour cet autre moi-même qui pouvait passer autant de temps qu'il le voulait avec elle, qui vivait avec Aki un bonheur sans nuages.

A l'entrée au lycée, nous nous sommes retrouvés dans la même classe. Il n'était plus possible de se tromper sur la nature de mes sentiments à son égard. L'amour que je lui portais avait autant d'évidence que le fait indubitable de ma propre existence. Si, effectivement, quelqu'un m'avait dit : « Ne dis pas que tu n'aimes pas Hirose », j'aurais sans doute répondu effrontément : « Qu'est-ce que tu racontes ! » Mais, le choix des places étant libre dans la plupart des cours, c'est à côté d'elle que je m'asseyais toujours. Maintenant que nous étions au lycée, il ne venait de toute façon à l'esprit de personne de railler ou de jalouser les couples qui sortaient ensemble. Nous nous fondions dans le décor des salles de classe à l'égal du tableau noir ou des plantes vertes. Naturellement, les professeurs ne se privaient pas de faire des allusions puériles dans le genre : « Vous vous entendez bien, tous les deux ! » Nous faisions bon visage en rétorquant : « Bien sûr ! », tout en pestant intérieurement : « Occupez-vous de vos affaires ! »

Nous abordions un jour un passage fameux du *Conte du coupeur de bambous*, dont nous avions commencé l'étude dès le mois d'avril. Pour protéger la princesse lunaire exilée sur la Terre de l'envoyé qui vient la chercher, l'empereur, qui en est follement épris, fait poster ses soldats tout autour de la résidence du bûcheron qui l'a élevée comme sa fille. Mais la princesse, revêtue d'une robe de plumes, finit par retourner sur la Lune. Elle laisse derrière elle une lettre à l'intention de l'empereur ainsi qu'un philtre d'immortalité. Or l'empereur ne veut pas vivre dans un monde privé de la présence de la princesse. Il donne l'ordre que l'on aille brûler le philtre au sommet de la montagne la plus proche de l'astre nocturne. C'était sur une page qui nous enseignait ainsi l'origine du nom du mont Fuji[1] que le conte s'achevait sereinement.

---

1. Les caractères chinois qui désignent le mont Fuji peuvent s'interpréter comme voulant dire « le mont grouillant de soldats ». Ce nom aurait été inspiré par l'image des soldats envoyés à son sommet sur l'ordre de l'empereur. *(N.d.T.)*

Tout en prêtant l'oreille aux explications du professeur sur le contexte de la rédaction du conte, Aki gardait les yeux baissés sur le manuel scolaire et semblait s'imprégner du texte que l'on venait de lire. Ses cheveux retombaient sur son visage, recouvrant la gracieuse arête de son nez. J'aperçus son oreille à demi cachée par sa chevelure, la petite moue que formait sa bouche. Alors que je m'absorbais dans la contemplation de chacun de ces détails, dessinés avec une perfection qu'aucune main humaine n'aurait pu atteindre, je fus envahi par un intense sentiment d'étrangeté en pensant qu'ils convergeaient tous dans la personne d'Aki et que cette jolie jeune fille pensait à moi.

Je fus alors saisi d'une certitude terrible. Aussi longtemps que je vivrais, je ne voulais pas être plus heureux que maintenant. Je ne voulais aspirer qu'à une chose : tenter de conserver ce bonheur précieusement aussi longtemps que possible. Car j'étais effrayé par ce que je ressentais. Si la quantité de bonheur attribuée à chacun d'entre nous est limitée, alors j'étais peut-être en train de dépenser la part de toute ma vie. Un jour viendrait où l'envoyé ramènerait Aki vers la Lune. Il me resterait alors un temps interminable à vivre, presque aussi long que l'immortalité.

Sortant de sa méditation, Aki se tourna vers moi en souriant. Je devais avoir une expression très grave. Elle se rembrunit :

— Qu'est-ce que tu as ?

J'ai détourné la tête précipitamment.

— Rien du tout.

Nous rentrions chaque jour ensemble à la fin des cours. Nous parcourions le chemin de l'école à la maison à pas lents, sans nous presser. Parfois nous faisions un grand détour pour nous laisser plus de temps encore. Malgré cela, le moment de nous séparer survenait toujours trop tôt. C'est étrange. Un chemin que nous faisons seul nous semble long et ennuyeux. Si nous parcourons ce même chemin à deux, en discutant, nous voudrions qu'il se poursuive indéfiniment. Même le cartable, chargé de livres et de dictionnaires, nous semble léger.

Il en va peut-être ainsi de notre vie, ai-je pensé de longues années après. Une vie menée dans la solitude est une vie longue et ennuyeuse. Lorsque nous la menons à deux, le moment de nous séparer survient sans que nous ayons vu le temps passer.

Après le décès de ma grand-mère, mon grand-père vécut pendant une longue période parmi nous.

Mais comme je l'ai mentionné plus haut, il déclara un jour que notre maison manquait de confort pour les personnes âgées et alla s'installer seul dans un appartement. Il était d'origine paysanne. Sa famille avait possédé une grosse exploitation jusqu'à la génération de son père. Mais la réforme agraire avait provoqué la ruine de celui-ci et mon grand-père était monté à Tokyo pour se lancer dans les affaires. Il avait su tirer parti des turbulences de l'après-guerre pour faire fortune et, la trentaine venue, était revenu au pays fonder une société dans le secteur agroalimentaire. Mon père était né de son mariage avec ma grand-mère. Au dire de ma mère, l'entre-prise, portée par le miracle économique, avait pros-péré et mes grands-parents avaient mené, sans s'en cacher, une vie aisée. Toutefois, à l'époque où son fils, mon père, terminait ses études et alors que ses affaires commençaient à péricliter, mon grand-père s'était lancé dans la politique et avait été élu député. Dans les dix années qui avaient suivi, ce qui restait de ses biens avait été presque entièrement dilapidé pour financer ses campagnes électorales. A la mort de ma grand-mère, il ne restait que la maison pour tout patrimoine. Il n'avait alors pas tardé à se retirer de la vie politique et vivait désormais tranquille-ment, comme il l'entendait.

Après mon entrée au collège, il m'arrivait parfois de lui rendre visite pour le solliciter à l'occasion de collectes pour des œuvres de charité. Je lui racontais les petits faits de mon existence. Nous regardions du sumo à la télévision en buvant une bière. Il se remémorait son enfance, sa jeunesse. Il évoquait volontiers une jeune fille qu'il avait connue lorsqu'il avait dix-sept ou dix-huit ans, et que les circonstances l'avaient empêché d'épouser.

— Cette femme avait une maladie aux poumons, dit-il un jour en sirotant un verre de bordeaux comme il aimait à le faire. Aujourd'hui, on soigne facilement la tuberculose avec des médicaments, mais en ce temps-là on se contentait de donner aux malades une alimentation saine et de les laisser alités dans des endroits où l'air était frais. Les femmes souffrant d'un tel mal étaient fragiles, il était inconcevable qu'elles trouvent à se marier. A l'époque, les équipements ménagers n'existaient pas. Il n'y avait pas de cuisinière électrique, pas de machine à laver. On ne s'imagine pas à quel point les tâches domestiques étaient éprouvantes physiquement. Et moi, j'étais comme tous les jeunes gens de mon âge, je voulais servir mon pays. Nous avions beau nous aimer, il ne pouvait être question de nous marier. Nous en étions l'un et l'autre conscients. C'étaient des temps très durs.

— Qu'est-ce qui s'est passé, alors ? demandai-je en avalant une gorgée de café.

— J'ai été enrôlé et j'ai dû faire je ne sais combien d'années d'armée. Je n'imaginais pas une seconde que je la reverrais. J'étais convaincu que quand on partait pour la guerre, c'était pour y laisser sa peau un jour ou l'autre. Je ne me faisais aucune illusion sur mon sort. C'est ainsi que lorsque nous nous sommes séparés, nous nous sommes juré de nous retrouver dans l'au-delà.

Mon grand-père dit cela en détachant les mots. Son regard se perdit dans le vague.

— Mais le destin aime jouer des tours. Lorsque la guerre s'est achevée, nous étions l'un et l'autre encore en vie. Bizarrement, c'est quand on sait qu'il n'y a plus d'avenir que l'on devient le plus résolu. Je me sentais vivant et mon désir était plus vif que jamais. J'ai décidé de tout faire pour avoir cette femme auprès de moi. Je me suis dit qu'il me fallait d'abord gagner suffisamment d'argent. Avec de l'argent, tuberculose ou pas, je pourrais m'occuper moi-même de son bien-être.

— C'est pour cela que tu es parti pour Tokyo ?

Mon grand-père acquiesça.

— Tokyo était encore un champ de ruines. Il y avait une terrible pénurie alimentaire. L'inflation était effroyable. C'était quasiment l'anarchie. Les gens mouraient presque de faim et se débattaient frénétiquement pour survivre. Comme tout le monde, je me suis mis à essayer désespérément de gagner de l'argent. J'en ai été réduit à faire des choses dont je n'ai pas lieu d'être fier. Je ne suis pas allé jusqu'à tuer mais tout le reste, ou presque, je l'ai fait. Or, pendant que je m'échinais comme un damné pour m'en sortir, on a découvert un traite-ment efficace contre la tuberculose. On appelait cet antibiotique la streptomycine.

— Je crois que j'ai déjà entendu le nom de ce médicament.

— Elle a guéri grâce à ce traitement.

— Elle a guéri ?

— Pour ce qui est de guérir, elle a guéri. Mais la vraie guérison, c'était qu'elle pouvait se marier. Naturellement, ses parents souhaitaient la marier avant qu'elle ne soit trop âgée.

— Qu'est-ce qui s'est passé, alors ?

— En fait, je n'ai pas eu l'heur de leur plaire.

— Pourquoi ?

— Parce que j'avais trempé dans des affaires douteuses. J'avais même fait un peu de prison. Ses parents étaient apparemment au courant.

— Mais c'était pour pouvoir être avec cette femme !

— C'est ce que j'ai essayé de leur faire comprendre, mais ils n'ont rien voulu savoir. Ils souhaitaient pour leur fille un homme au-dessus de tout soupçon. En fait, ils avaient en vue un instituteur ou un professeur, je ne sais plus.

— C'est une histoire incroyable.

— C'était ainsi en ce temps-là. Avec notre mentalité d'aujourd'hui, on juge cela absurde, mais, à l'époque, les enfants ne s'opposaient pas si facilement aux décisions de leurs parents. Il faut aussi tenir compte du fait qu'elle avait été à la charge de ses parents pendant des années à cause de sa maladie et qu'il lui était moralement impossible de refuser l'homme que ceux-ci lui destinaient, quand bien même elle en aimait un autre.

— Qu'est-ce qu'elle a fait, alors ?

— Elle a obéi à ses parents. Quant à moi, j'ai épousé ta grand-mère. Ton père est né de cette union. Tout de même, ces gens étaient sacrément rigides.

— Tu as donc renoncé à partir de ce moment-là à cette femme, n'est-ce pas ?

— J'avais l'intention de renoncer. Elle aussi d'ailleurs, je pense. Le destin ne voulait pas que nous soyons réunis en ce monde.

— Mais tu n'y es pas arrivé, c'est cela ?

Mon grand-père a plissé les yeux en me scrutant comme pour me sonder. Il a finalement ouvert la bouche pour dire :

— Nous reparlerons de tout cela un autre jour. Quand tu seras un peu plus grand.

C'est une fois que j'ai été au lycée que mon grand-père a jugé bon de reprendre le fil de son histoire. Ce fut juste après les vacances d'été de mon année de seconde, au début du deuxième trimestre. Sur le chemin de la maison, j'étais passé lui rendre visite et je m'étais installé devant la télévision pour regarder une compétition de sumo tout en buvant une bière, comme d'habitude.

— Est-ce que tu veux rester pour manger ? me lança-t-il quand l'émission fut terminée.

— C'est gentil, grand-père, mais maman a préparé le dîner et doit être en train de m'attendre.

J'avais toutes les raisons de refuser l'invitation. Mon grand-père se nourrissait essentiellement de boîtes de conserve. Cela allait du corned-beef à la boîte de sardines en passant par divers plats tout préparés. L'apport en légumes verts se réduisait à une boîte d'asperges en conserve. Le tout était accompagné d'un bol de soupe miso instantanée. C'était là son régime alimentaire quotidien. Il arrivait que ma mère vienne chez lui faire la cuisine. Parfois, c'était lui qui venait à la maison. Mais, fondamentalement, l'univers gastronomique de mon grand-père se résumait aux boîtes de conserve. Si on l'interrogeait à ce sujet, il répondait que les personnes âgées n'avaient pas besoin d'une alimentation particulièrement saine ou recherchée et que l'important était de manger des choses bien définies à des heures bien définies.

— Aujourd'hui, je pensais qu'on pourrait commander des anguilles, dit-il alors que je m'apprêtais à partir.

— En quel honneur ?

— En quel honneur ? Il n'y a pas de loi qui interdise de manger des anguilles, que je sache !

Mon grand-père n'eut qu'à passer un coup de fil et, en attendant la livraison des anguilles, nous avons ouvert une autre bouteille de bière et regardé la télévision. Il a ensuite débouché une bouteille de vin, comme de coutume. En général, il laissait passer une demi-heure à une heure après le repas avant de l'entamer. Sa consommation n'avait pas changé depuis le temps où il demeurait chez nous. Une bouteille de bordeaux lui faisait deux jours.

— J'ai quelque chose à te demander, ce soir, déclara-t-il d'un air grave tout en avalant une gorgée de bière.

— A me demander... balbutiai-je alors que je me calais dans mon siège, appâté par les anguilles.

J'eus comme une appréhension.

— Si je commence à parler, cela risque de durer un certain temps.

Il alla dans la cuisine chercher des sardines à l'huile pour accompagner la bière. La livraison des anguilles arriva alors que nous étions en train de vider la boîte de conserve. Pendant tout le temps qu'il parla, nous avons dégusté les anguilles, avalé la soupe claire à base de foie d'anguille, attaqué la bouteille de bordeaux. Si je continuais sur ma lancée, à vingt ans je serais alcoolique au dernier degré. Car j'avais beau ingurgiter verre après verre, je ne devenais pas saoul, comme si j'avais dans le foie plus d'enzymes de dégradation de l'alcool que la normale. Je n'étais manifestement pas de la race de ces garçons que rend malades la simple absorption d'un fruit qui a macéré dans l'eau-de-vie. Quand mon grand-père eut fini ses longues confidences, la bouteille de bordeaux était presque asséchée.

— Toi aussi, tu tiens bien l'alcool ! jubila-t-il.

— Je ne suis pas ton petit-fils pour rien !

— Certes, mais ton père a beau être mon fils, il ne boit pas une goutte d'alcool.

— C'est parce que les gènes sautent une génération !

— Sans doute, acquiesça mon grand-père avec une pointe d'embarras. Alors, dis-moi, à propos de ce dont nous parlions tout à l'heure, tu es d'accord pour m'aider ?

Je me suis réveillé le lendemain avec la gueule de bois. Je n'avais vraiment pas l'esprit clair pour les fonctions trigonométriques et les principes du discours indirect. J'ai passé la matinée à tenter de surmonter mes haut-le-cœur derrière mes livres de classe. Il fallut attendre la fin du cours d'éducation physique en dernière heure pour que je commence à me sentir mieux. Avec Aki, nous avons avalé dans la cour notre repas de midi, notre « bento », que nous amenions de la maison. La vue des éclaboussures que produisait la fontaine me donnait la nausée, si bien que nous avons retourné le banc afin de tourner le dos à l'étang. Je lui ai alors raconté tout ce que mon grand-père m'avait confié la veille.

— Ton grand-père n'a pas cessé de penser à elle pendant toutes ces années, dit Aki, les yeux légèrement embués.

— Oui, apparemment, répondis-je, en proie à des sentiments mêlés. Il était décidé à renoncer à elle mais il n'a pas pu l'oublier.

— Et elle, de son côté, n'a pas pu l'oublier non plus.

— C'est un peu bizarre, non ?

— Pourquoi ?

— Pourquoi ? Mais toute cette histoire s'étale sur un demi-siècle. Même les espèces évoluent sur un pareil laps de temps.

— Tu ne trouves pas magnifique que deux êtres continuent de penser l'un à l'autre pendant une aussi longue période ?

Aki semblait presque transportée.

— Tous les êtres vivants vieillissent. A part les cellules génératrices, aucune cellule n'échappe au vieillissement. Même sur ton visage, Aki, les rides apparaissent et se creusent peu à peu.

— Où veux-tu en venir ?

— Eh bien, ils avaient vingt ans lorsqu'ils se sont connus. Cinquante ans ont passé. Cela veut dire qu'elle aurait maintenant soixante-dix ans.

— Et alors ?

— Alors ? Je trouve ça un peu sinistre de continuer d'être entiché d'une mémère de soixante-dix ans.

— Moi je pense que c'est magnifique, dit Aki d'un ton sans appel.

Elle semblait un peu fâchée.

— Au point d'aller de temps en temps à l'hôtel ?

— Ne sois pas stupide ! rétorqua Aki en me contemplant d'un œil noir.

— C'est ce que mon grand-père a pourtant fait.

— Mais toi, Saku'chan, tu ne ferais pas la même chose ?

— Moi, c'est différent.

— C'est exactement pareil.

La discussion se termina de cette façon abrupte et ne reprit que l'après-midi pendant le cours de biologie. Le professeur expliquait que l'ADN de l'homme est identique à celui du chimpanzé à 98,4 %. Les différences génétiques entre nos deux espèces sont moins grandes qu'entre le chimpanzé et le gorille, de sorte que le plus proche du chimpanzé n'est pas le gorille mais l'homme. En entendant cela, toute la classe s'esclaffa. Aki et moi étions placés à l'arrière de la salle et poursuivions la conversation concernant mon grand-père.

— Au bout du compte, cela devient complètement immoral ! avançai-je pour justifier mes réserves.

— Sauf que c'est dicté par l'amour le plus pur, rétorqua Aki.

— Seulement mon grand-père avait une femme, et sa maîtresse, un mari.

Elle réfléchit un moment et riposta :

— Du point de vue de l'épouse ou du mari, cela paraît immoral, mais du point de vue des amants il n'est question de rien d'autre que d'amour.

— Si je comprends bien, c'est à la fois moral et immoral selon le point de vue où l'on se place.

— Les critères moraux peuvent varier.

— Qu'est-ce que tu veux dire par là ?

— Ce qu'on dit immoral n'est rien d'autre que ce que la société choisit de qualifier de mal. Cela varie avec les époques. Cette histoire ne choquerait personne dans une société polygame par exemple. Mais le fait d'être fidèle à quelqu'un en pensée pendant cinquante ans, c'est quelque chose qui dépasse le cadre de l'histoire ou de n'importe quelle civilisation.

— Cela dépasse aussi le cadre des espèces ?

— Pardon ?

— Est-ce que tu crois qu'un chimpanzé peut aussi rester fidèle pendant cinquante ans à la même femelle ?

— Je n'en ai pas la moindre idée. Je ne connais pas la vie des chimpanzés.

— En somme, l'amour est plus important que la morale.

— Je ne sais pas s'il faut dire que c'est plus important...

C'est au moment où la conversation devenait passionnante que la voix du professeur retentit :

— Vous deux là-bas, qu'est-ce que vous avez à chuchoter depuis tout à l'heure ?

En guise de punition, il nous ordonna de nous lever et de nous tenir debout au fond de la classe. C'était de l'abus de pouvoir ! On avait le droit de discuter de la question de savoir si l'homme et le chimpanzé pouvaient se reproduire par croisement, mais on n'avait pas le droit de débattre de l'amour entre un homme et une femme d'un âge avancé. Nous avons continué notre conversation debout à voix basse.

— Tu crois en l'au-delà ?

— Pourquoi ?

— Parce que mon grand-père et cette femme ont fait le serment de rester unis dans l'au-delà.

— Je n'y crois pas, dit Aki après un moment de réflexion.

— Tu ne fais pas de prière chaque soir avant de t'endormir ?

— Mais je crois que les dieux existent, répondit-elle d'un ton tranchant.

— Quelle différence y a-t-il alors entre les dieux et l'au-delà ?

— Tu n'as pas le sentiment que l'au-delà est quelque chose que les hommes imaginent à leur convenance ?

Cette question me laissa songeur.

— Si c'est le cas, ils n'auront été unis ni dans ce monde-ci ni dans l'autre.

— Tu sais, je dis cela mais ce n'est qu'une opinion parmi d'autres, s'empressa d'ajouter Aki comme pour s'excuser. Ton grand-père et sa maîtresse étaient d'un autre avis.

— Les dieux aussi, peut-être que les hommes les imaginent à leur convenance. Les prières n'existent que pour autant que les mots existent.

— Cela n'a rien à voir avec les dieux auxquels je crois.

— Est-ce que tu crois qu'il y a beaucoup de dieux différents ? Plusieurs sortes de dieux ?

— Je ne crois pas au paradis, mais je vénère les dieux. C'est pour les honorer que je fais chaque soir ma prière avant d'aller me coucher.

— En les suppliant de ne pas faire tomber sur toi leur punition divine ?

Finalement nous avons été exclus de la classe et envoyés dans le couloir, où nous avons poursuivi avec obstination notre conversation sur l'au-delà et sur les dieux jusqu'à ce que nos camarades sortent de cours. Comme il fallait s'y attendre, nous avons été immédiatement convoqués par le professeur de biologie et le professeur principal qui nous passèrent à l'un et à l'autre un bon savon. C'était bien beau d'être les meilleurs amis du monde mais il convenait de se ressaisir et d'être attentifs en classe.

Lorsque nous avons franchi le portail du lycée, le crépuscule était près de tomber. Nous avons marché sans un mot dans la direction du parc du Daimyô. Sur le chemin, nous avons longé le terrain de sport et le musée d'histoire. Nous sommes passés également devant le café à l'enseigne de « A la ville basse». Nous y étions entrés une fois en revenant du lycée, mais le café s'était révélé infect et nous n'y avions plus jamais mis les pieds. Une fois dépassée la devanture décrépie d'un magasin d'alcools, nous sommes parvenus sur les bords de la petite rivière qui traverse la ville. Alors que nous traversions le pont, Aki ouvrit enfin la bouche.

— Finalement, malgré cinquante ans d'attente, ils n'ont jamais pu être réunis, dit-elle, reprenant le fil de notre conversation comme si de rien n'était.

— Ils avaient l'intention de vivre ensemble dès que le mari de la femme serait mort, répondis-je, redirigeant mes pensées vers mon grand-père. Comme ma grand-mère était morte, mon grand-père était disponible.

— A quand cela remonte-t-il ?

— Cela doit faire dix ans. Mais au lieu de cela, ce n'est pas le mari qui est mort en premier, c'est elle, et rien ne s'est passé comme prévu.

— C'est terriblement triste, cette histoire.

— D'un autre côté, c'est assez comique aussi.

La conversation s'interrompit. Nous avons continué à marcher la tête plus basse encore que d'habitude. Nous sommes passés devant le marchand de fruits et légumes, devant le magasin de tatamis, nous avons tourné à l'angle de la boutique de coiffure. La maison d'Aki était à deux pas.

— Saku'chan, donne-lui ton aide, déclara-t-elle soudain, prenant conscience du peu de distance qu'il restait à parcourir.

— C'est facile à dire, mais il s'agit tout de même de violer la tombe d'une famille.

— Tu as peur ?

— Ce n'est pas un acte anodin.

— Je ne te sens pas très à l'aise, en effet ! s'exclama-t-elle en riant.

— Qu'est-ce qu'il y a de si risible ?

— Rien du tout.

Nous étions en vue de sa maison. Pour rentrer chez moi, il me fallait bientôt tourner à droite et traverser la nationale. Nous avons insensiblement ralenti le pas et, pour finir, nous nous sommes arrêtés.

— Au cas où tu ne le saurais pas, il s'agit tout de même de commettre un crime.

Elle leva vers moi un visage perplexe.

— Vraiment ?

— Cela ne te semble pas évident ?

— De quel genre de crime s'agit-il ?

— Un crime sexuel, bien sûr.

— Tu racontes n'importe quoi !

Lorsqu'elle riait, ses cheveux se balançaient sur ses épaules, faisant ressortir la blancheur de son corsage. Nos deux ombres s'allongeaient sur le trottoir et se cassaient à mi-hauteur pour s'étendre peu à peu sur le mur en parpaings qui nous faisait face.

— En tout cas, si je me fais prendre, je serai exclu du lycée.

— Eh bien, tu en profiteras pour t'amuser.

Est-ce qu'elle voulait me donner du courage ?

— Tu ne te fais vraiment pas de souci, toi ! ai-je murmuré en poussant un soupir.

J'ai annoncé à mes parents que je restais dormir chez mon grand-père. C'était un samedi soir. Nous avons mangé des sushis pour le dîner. Mon grand-père s'offrit le luxe de commander un assortiment « Matsu ». Mais mes papilles étaient incapables de faire la différence entre le thon gras et l'oursin. Dans ma bouche, l'ormeau avait la consistance d'un vieux chewing-gum. Ce soir-là, je n'eus droit ni à la bière ni au bordeaux. Nous avons regardé un match de base-ball à la télévision en buvant du thé et en terminant par un café. La retransmission s'est arrêtée en plein milieu de la partie.

— Il est temps d'y aller, déclara mon grand-père.

La tombe de cette femme se trouvait aux confins de la ville, à l'est, dans l'enceinte d'un temple dédié à l'épouse d'un ancien daimyô, seigneur des environs. Nous sommes descendus du taxi non loin de là. L'endroit était à flanc de colline. Pendant les périodes de sécheresse, l'été, c'était le premier quartier à être touché par les coupures d'eau. On était encore en septembre mais l'air nocturne était glacial.

Nous sommes passés sous un petit portique qui s'élevait sur le côté de l'escalier de pierre menant au temple. Un chemin d'argile rouge bordé à gauche par un mur peint en blanc montait directement jusqu'au cimetière. Le bâtiment en face semblait être la résidence des bonzes. Mais il n'y avait pas âme qui vive. On apercevait seulement une faible lueur à la fenêtre de ce qui aurait pu être des cabinets. Le vieux cimetière, dont la création devait remonter à l'époque d'Edo, s'étendait à droite. Des stèles penchées, des tombes aux angles rabotés se devinaient sous le clair de lune. Le feuillage des vieux cèdres et des cyprès plantés à flanc de montagne s'inclinait sur l'allée, et le ciel était à peine visible. Le tombeau de l'épouse du daimyô était situé au fond de l'allée principale. Des stèles aux formes étranges, faites de cubes, de sphères et de cônes assemblés étaient alignées dans l'obscurité. Nous les avons contournées par la gauche et nous sommes engagés plus avant. Nous nous étions munis d'une lampe de poche mais nous évitions de l'utiliser pour ne pas attirer l'attention des gens du temple.

— C'est à quel endroit ? ai-je demandé à mon grand-père, qui marchait devant.

— Encore un peu plus loin.

— Tu y es déjà allé ?

— Oui, répondit-il laconiquement.

Je me demandais combien le cimetière comptait de sépultures. Le vallon aux pentes douces était presque entièrement couvert de monuments funéraires. Chaque tombe contenait les restes de plusieurs personnes. Si l'on partait sur une moyenne de deux à trois défunts par tombe, je me demandais combien de morts étaient rassemblés là. J'étais déjà allé de nombreuses fois dans des cimetières pendant la journée, mais c'était la première fois que je m'y aventurais la nuit. L'atmosphère n'était pas la même. Peut-être était-on plus sensible à la présence des morts alentour. J'avais l'intense impression que le rythme de ma respiration était accéléré. Lorsque j'ai levé les yeux, j'ai aperçu des chauves-souris voletant en tous sens dans les hautes branches des arbres gigantesques qui masquaient le ciel. Sans faire attention, je suis venu buter dans le dos de mon grand-père.

— C'est là ?

— Oui, nous y sommes.

A y bien regarder, c'était une tombe parfaitement ordinaire. La stèle, qui, sans être modeste, n'était pas très imposante, était légèrement ternie.

— Qu'est-ce qu'on fait ?

— Nous disons d'abord une prière.

J'ai trouvé paradoxal que nous disions une prière alors que nous étions là pour voler les restes d'une

54

morte. Mon grand-père a allumé les bâtonnets d'encens qu'il avait apportés et les a placés sur la tombe, puis il s'est immobilisé en joignant les mains dans une posture de dévotion. Je me tenais derrière lui. N'ayant pas le choix, je l'ai imité, jugeant que c'était un hommage rendu aux autres morts inhumés à cet endroit.

— Bon, souffla mon grand-père, débarrassons-nous d'abord de ça.

Nous avons déplacé sur le côté le bloc de granit qui servait à brûler l'encens et dans lequel les bâtonnets commençaient à peine à se consumer.

— Eclaire-moi avec la lampe torche.

Une pierre tombale était posée derrière le brûleur d'encens, comme sur les tombes prévues pour des cercueils. Mon grand-père se mit à tenter de la disjoindre du soubassement à l'aide du tournevis dont il s'était équipé. Il s'affairait, changeant régulièrement de place, grattant dans les interstices. La dalle finit par bouger peu à peu. En y mettant les ongles, il réussit enfin à la faire glisser vers l'avant. Le caveau était relativement spacieux, à la fois large et profond. Un adulte aurait pu y tenir debout en baissant un peu la tête.

— Passe-moi ça !

Mon grand-père s'empara de la lampe électrique, s'agenouilla et s'enfonça en rampant jusqu'à mi-corps dans le caveau. J'appuyais sur l'arrière de ses genoux pour l'empêcher de basculer complètement. Puis il me tendit la lampe, se retira à quatre pattes, tenant precautionneusement entre ses mains une urne semblable à celles dans lesquelles on met à mariner les petites prunes *umeboshi*. Je l'observais faire sans dire un mot. Il s'assura du nom qui figurait sur le fond de l'urne, dénoua la cordelette et ouvrit doucement le couvercle. Naturellement, il devait y avoir des cendres à l'intérieur. Il s'écoula un long moment sans qu'il fasse le moindre geste. J'ai chuchoté : « Grand-père ! » Je me suis alors aperçu au clair de lune que ses épaules étaient secouées d'un léger tremblement.

Il renversa une toute petite partie du contenu de l'urne dans une boîte en bois de paulownia qu'il avait apportée à cet effet. La quantité était si infime, il était si parcimonieux, que j'avais envie de lui dire qu'avec tout le mal que l'on s'était donné il aurait pu y aller un bon coup. Après être resté longtemps absorbé dans la contemplation de l'intérieur de l'urne, il referma le couvercle, replaça la cordelette. Nous refîmes les mêmes gestes en sens inverse. Je le retins par les jambes, il redéposa l'urne au fond du caveau. Ce fut moi qui réinstallai la pierre tombale. Celle-ci gardait des traces des dommages causés par le tournevis.

Il était près de minuit lorsque nous sommes retournés chez mon grand-père en taxi. Nous avons trinqué en buvant une bière fraîche. Je ressentais, mêlée à un étrange sentiment d'accomplissement, une indéfinissable tristesse.

— Je t'ai mis à contribution jusqu'à une heure

bien tardive, cette nuit, dit mon grand-père avec solennité.

— Ce n'est rien, répondis-je en versant de la bière dans son verre à moitié vide. Tu t'en serais d'ailleurs très bien sorti sans moi, ai-je ajouté avec modestie.

Il avait porté le verre à sa bouche mais il regardait au loin, comme perdu dans ses pensées. Il se leva soudain, se dirigea vers la bibliothèque et en rapporta un livre.

— Tu as appris à déchiffrer la poésie chinoise? me demanda-t-il en ouvrant le vieil ouvrage. Tiens, lis ce texte.

Celui-ci portait le titre « Le dolic ». J'ai parcouru d'un coup d'œil la traduction qui était à côté du texte en chinois.

— Tu comprends le sens de ces vers ?

— Celle qui parle dit qu'elle veut être inhumée auprès de son bien-aimé, n'est-ce pas ?

Mon grand-père a acquiescé sans un mot puis il a prononcé, de mémoire, la dernière phrase : « Passent les jours d'été, passent les nuits d'hiver, passe un siècle entier, j'irai là où tu demeures. » Il ajouta :

— Cela veut dire : pendant que tu dors, l'hiver succède à l'été, les jours les plus longs cèdent la place aux nuits les plus longues. Cent ans passeront si nécessaire, mais j'attendrai paisiblement et j'irai dormir à tes côtés.

— Là où repose la personne aimée ?

— On a beau faire tous les progrès que l'on veut, le cœur de l'homme, ce que l'homme a de plus profond, ne change pas. Ce texte est extrait du plus ancien recueil connu de poésie chinoise, il a été écrit il y a deux mille cinq cents ans, peut-être remonte-t-il à plus loin encore, avant même que ne se fixent les formes poétiques chinoises classiques que vous étudiez à l'école. Mais les sentiments qui s'expriment dans ces vers parlent encore aux hommes d'aujourd'hui. Que l'on soit érudit, instruit, cultivé ou pas, on ne peut pas ne pas être touché.

La petite boîte en bois de paulownia était posée sur la table. Quelqu'un qui n'aurait pas été au courant aurait sans doute pensé qu'elle contenait un cordon ombilical ou bien une décoration. C'était une scène étrange.

— Il faut que tu l'emportes, lança soudain mon grand-père. Tu disperseras mes cendres avec les siennes quand je serai mort.

— Qu'est-ce que tu veux dire ? balbutiai-je.

— Je voudrais que tu mélanges mes restes avec les siens et que tu les disperses dans un endroit qui te plaira, répéta-t-il comme s'il me dictait son testament.

Je compris avec un temps de retard quelle avait été son intention cachée. Il aurait été tout à fait en mesure de dérober tout seul les restes de sa maîtresse. S'il avait fait part de son projet à son petit-fils, s'il l'avait associé à la réalisation de son forfait, c'est qu'il avait une idée derrière la tête.

— Tu es d'accord, alors ? Tu me le promets, n'est-ce pas ? insista-t-il comme si mon assentiment était déjà acquis.

— Mais je ne peux pas te promettre une chose pareille, ai-je répliqué, décontenancé.

— Tu pourrais faire preuve d'un peu de commisération à l'égard d'un homme âgé qui te fait une requête, implora-t-il avec des sanglots dans la voix.

— J'ai beaucoup de respect pour toi, grand-père, mais ton souhait me met dans l'embarras.

— Je ne te demande tout de même pas quelque chose de compliqué.

Les récriminations de mon père, lors de discussions avec ma mère, à l'encontre de l'égoisme de mon grand-père me sont, à ce moment-là, revenues à l'esprit. Mon père n'avait pas tort. Mon grand-père ne pensait qu'à lui-même et se souciait bien peu des désagréments que pouvait causer aux autres la satisfaction de ses propres désirs.

— Est-ce qu'il n'est pas un peu déplacé de confier une chose aussi importante à quelqu'un comme moi ? argumentai-je, dans l'espoir de l'ébranler.

— Vers qui veux-tu que je me tourne ?

— Vers papa, proposai-je pour l'amadouer. Après tout, c'est ton fils, c'est lui qui s'occupera de tes funérailles et qui représentera la famille.

— Mais il ne comprend rien à rien, il n'a aucune idée de ce que nous ressentons.

J'étais frappé de stupeur. Je voyais bien qu'il ne voulait pas en démordre.

— Tous les deux, c'est différent. Nous nous entendons si bien... poursuivit-il. Toi, tu me comprends, toi, tu sais ce que j'éprouve. J'ai tellement attendu que tu grandisses...

Je pensais que tout avait commencé par cette invitation à manger des anguilles. Mais, en fait, tout avait été écrit bien avant, s'était tramé sous la surface depuis bien plus longtemps. Depuis que j'avais l'âge de raison, mon grand-père n'avait pas eu d'autre idée en tête que de gagner ma confiance pour en arriver là où nous en étions ce soir-là. J'étais en quelque sorte dans la situation de la jeune Murasaki dans le *Genji monogatari*, celle que le prince de lumière, Genji, n'a recueillie alors qu'elle avait dix ans, puis élevée, que dans le projet d'en faire un jour son épouse.

— Mais, grand-père, quand mourras-tu ? articulai-je d'une voix subitement dépourvue de toute compassion.

— Quand j'aurai fait mon temps, répondit-il sans remarquer mon brusque changement d'intonation.

— C'est-à-dire quand ?

— Je ne peux pas te le dire. Si je le savais, tout serait planifié.

— Dans ce cas, rien ne dit que je serai là quand tu mourras. Encore faudrait-il que je sois là pour assister à la crémation ! Faute de quoi, je ne pourrai pas entrer en possession de tes cendres...

— Si nécessaire, tu feras comme nous avons fait ce soir. Tu iras les récupérer au cimetière.

— Tu veux que je refasse ce que nous avons fait ce soir ?

— Oui, je te le demande, rétorqua mon grand-père d'une manière pressante. Il n'y a qu'à toi que je puisse demander une chose pareille. Il est extrêmement douloureux de perdre un être cher. Il est impossible d'exprimer cette douleur, mais c'est précisément parce qu'elle est indicible qu'il convient de respecter les formes. C'est le sens de la poésie de tout à l'heure. La séparation est insupportable, mais il est possible d'être à nouveau unis. Tu ne veux pas nous aider à accomplir ce à quoi nous aspirons plus que tout ?

J'éprouvais naturellement un grand respect pour les personnes âgées. En outre, j'étais quelque peu désarçonné par l'emploi par mon grand-père de la première personne du pluriel. De sorte que je finis par consentir du bout des lèvres :

— Puisque tu y tiens, je m'occuperai de disperser tes cendres…

— C'est bien d'accéder à la demande d'un vieil homme ! s'exclama mon grand-père avec vivacité, le visage rayonnant.

— Puisque je ne peux pas faire autrement…

— Je suis navré, fit-il d'un air contrit.

— Cela dit, c'est bien beau de me laisser choisir l'endroit, mais je n'ai pas la moindre idée. Je préférerais que tu me fasses connaître dès maintenant ce que tu souhaites.

— Je voudrais bien te donner une indication dès

ce soir, répliqua-t-il d'un air pensif, mais qui sait ce que deviendra l'endroit que je te désignerais ? Je pourrais par exemple te demander de les répandre au pied d'un jeune arbre, mais comment être sûr que celui-ci ne se trouvera pas dans dix ans sur le passage d'une autoroute ?

— Dans ce cas, je changerais tout simplement de lieu.

— Non, je te laisse le soin de décider, lâcha-t-il après un temps de réflexion. Je m'en remets à ton jugement.

— C'est délicat. Tu ne veux pas me donner au moins une piste ? Est-ce que tu voudrais que ce soit dans la mer, sur une montagne, dans le ciel ?

— Puisque tu insistes, je dirais la mer.

— Va pour la mer.

— Mais à un endroit où l'eau n'est pas polluée.

— D'accord, je chercherai un lieu où la mer est propre.

— Attends, l'inconvénient avec la mer, c'est que les cendres seraient tout de suite éparpillées par les vagues et les remous. Finalement, la montagne serait mieux.

— Ce sera donc sur une montagne.

— Dans un coin isolé, loin de la civilisation.

— Entendu, je les répandrai dans un endroit où personne ne s'aventure, à une altitude élevée.

— S'il pouvait y avoir une prairie dans les parages, ce serait bien. Cette femme adorait les violettes… Qu'est-ce qu'il y a ?

Je m'étais mis à le contempler les bras croisés.

— Tu es en train de me passer une commande détaillée !

— Pardonne-moi. Tu vas penser que les personnes âgées sont bien égoïstes.

Malgré son air mélancolique, j'ai poussé un soupir suffisamment sonore pour qu'il l'entende.

— Je les disperserai donc dans un lieu peu fréquenté, sur une montagne, non loin d'une prairie où poussent des violettes. Cela te va ?

— Je te sens un peu découragé...

— Mais pas du tout, grand-père.

Aussitôt rentré chez moi le lendemain en fin de matinée, j'ai téléphoné à Aki en lui demandant si l'on ne pouvait pas se retrouver. Comme elle était occupée une bonne partie de l'après-midi, nous avons décidé de nous rencontrer à cinq heures. Elle pouvait se libérer pendant une heure.

Il y avait un temple à égale distance de nos deux maisons. Venant de chez moi, il fallait prendre une route qui longeait la rivière sur environ cinq cents

mètres en direction du sud. Le grand portique marquant l'entrée de l'enceinte du temple se dressait
juste après un pont. J'ai traversé le parking poussiéreux, gravi le long escalier de pierre qui montait
à flanc de colline jusqu'au sanctuaire. De là-haut,
en se tournant vers l'est, on apercevait une route
étroite. Celle-ci traversait une zone résidentielle pour
rejoindre la nationale. La maison d'Aki se situait
dans ce quartier, dans l'axe du passage pour piétons
qui faisait face au poste de police en contrebas.
J'aimais arriver en avance à nos rendez-vous pour
avoir le loisir de la regarder se porter à ma rencontre.
Plus tôt je parvenais à distinguer sa silhouette au
loin, plus j'étais heureux. Je l'ai rapidement reconnue
qui montait la côte, penchée en avant pour mieux
appuyer sur les pédales, ne se doutant pas que je
l'observais. Elle a laissé sa bicyclette à l'entrée est
du temple et escaladé en trottant un escalier resserré qui menait jusqu'à l'édifice.

— Excuse-moi pour le retard, souffla-t-elle en
reprenant sa respiration.

— Ce n'était pas la peine de courir.

— Je n'ai pas beaucoup de temps, répondit-elle
en expirant profondément.

— Tu as encore des choses à faire ? ai-je
demandé en jetant un coup d'œil à ma montre.

— Non, rien de spécial. Je voulais prendre un
bain avant le dîner.

— Dans ce cas, nous avons le temps.

— Non, car la nuit va bientôt tomber.

— Qu'est-ce que tu veux faire maintenant ?

— Mais c'est toi qui m'as demandé de venir ! s'exclama-t-elle en éclatant de rire.

— Oh, moi, je n'en ai pas pour longtemps.

— Eh bien, ne nous pressons pas.

— Malgré ce que tu as dit tout à l'heure ?

— Ecoute, commençons par nous asseoir.

Nous avons pris place au sommet des marches qu'Aki avait escaladées pour me rejoindre. La ville s'étendait à nos pieds. Les sasos, les oliviers parfumés, exhalaient une senteur qui flottait dans l'air, portée par la brise.

— De quoi veux-tu me parler ?

— Le ciel est déjà sombre dans la direction de l'est.

— Qu'est-ce que tu racontes ?

— Ce soir, tous les deux, nous allons voir des soucoupes volantes !

— Arrête !

— Tiens, regarde ! dis-je en sortant de la poche de mon blouson la fameuse petite boîte.

Elle était maintenue fermée à l'aide d'un gros élastique. Aki, devinant sans doute quel en était le contenu, eut un mouvement de recul.

— Tu es allé les récupérer ?

J'ai acquiescé sans mot dire.

— Quand ?

— Hier soir.

J'ai fait glisser l'élastique et j'ai doucement ouvert le couvercle. On apercevait dans le fond de la boîte des petits débris d'os blanchâtres. Aki y jeta un coup d'œil pour être sûre :

— Il n'y a pas grand-chose.

— Mon grand-père a fait preuve de retenue, c'est tout ce qu'il a prélevé. Il avait peur d'exagérer ou bien il était intimidé.

Elle me laissa parler puis demanda :

— Comment se fait-il qu'une chose aussi importante se trouve entre tes mains ?

— Il me l'a confiée. Il veut qu'à sa mort je mélange leurs cendres et que je les disperse quelque part.

— Ce sont ses dernières volontés ?

— En quelque sorte.

Je me suis rappelé la poésie chinoise qui plaisait tant à mon grand-père.

— Il aurait voulu reposer auprès d'elle, être inhumé dans le même cimetière, afin qu'ils soient enfin réunis. Sinon, d'après lui, le cœur de celui qui meurt en dernier ne connaît jamais la paix.

— Mais alors, pourquoi ne pas se faire enterrer avec elle ?

— Parce que leur relation n'était pas convenable. Cela ne manquerait pas de faire scandale. C'est la raison pour laquelle il a pensé à la solution médiane consistant à mélanger une petite partie de ses cendres avec les siennes. Ce n'est pas un cadeau qu'il me fait !

— S'il tient tellement à ne faire qu'un avec elle, pourquoi ne la mange-t-il pas, plutôt ?

— Tu veux dire, les os ?

— Oui, c'est plein de calcium ! expliqua-t-elle en pouffant de rire. Si je meurs, tu mangeras mes os ?

— J'aimerais bien.

— Ce ne doit pas être très bon.

— Même si ce n'est pas bon, cela me sera égal parce que tu seras morte. Je ferai comme hier soir. Je m'introduirai en cachette dans le cimetière pour piller ta tombe. J'en rapporterai tes restes et je les mangerai petit à petit tous les soirs. Comme ça je serai en bonne santé.

Elle rit à nouveau puis redevint brusquement sérieuse :

— Quand je serai morte, j'aimerais qu'on disperse mes cendres dans un endroit très beau, déclara-t-elle, les yeux perdus dans le lointain.

— C'est vrai, les cimetières sont souvent sombres et humides.

— Je ne pensais pas à cet aspect concret des choses.

Nous avons cessé de rire, notre gaieté s'est estompée et nous sommes restés silencieux. Nous avons considéré encore une fois le contenu de la boîte.

— Cela te met mal à l'aise ?

— Pas du tout, répondit-elle en secouant la tête.

— J'ai ressenti de la gêne quand il m'a confié cette boîte mais, maintenant que nous la regardons tous les deux, je ne trouve pas ça si impressionnant.

— Moi non plus.

— C'est étrange.

La nuit avait déjà commencé à tomber. L'obscurité avait gagné les alentours. Un homme qui paraissait être un fidèle vêtu d'un pantalon blanc de cérémonie gravissait les marches. Nous l'avons salué. Il nous a lancé à son tour, d'une voix forte : «Bonsoir !»

— Qu'est-ce que vous faites ? nous a-t-il demandé en passant avec un sourire.

— Rien de particulier, ai-je répondu.

— Referme le couvercle, m'enjoignit Aki lorsque la silhouette de l'homme eut disparu.

Je replaçai l'élastique et remis la boîte dans la poche de mon blouson. Aki resta en arrêt un moment sur le renflement formé par la boîte dans ma poche puis leva les yeux vers le ciel.

— Les premières étoiles ont fait leur apparition. Tu ne trouves pas que les étoiles brillent plus fort depuis quelque temps ?

— C'est à cause du fréon. Du fait de la diminution de la couche d'ozone, la couche d'air s'amincit et on voit les étoiles plus distinctement.

Nous avons longuement contemplé le ciel nocturne.

— Pas de trace de soucoupe volante, ai-je maugréé.

Aki eut un petit rire pour m'être agréable. J'ai proposé de rentrer. Elle a acquiescé.

Nous avons échangé un baiser au moment même où les dernières traînées du jour s'effaçaient à l'horizon. Nous étions restés un moment les yeux dans les yeux. Nos lèvres se sont jointes spontanément lorsque nous avons pris conscience de l'invisible consentement qui était monté en nous. Les lèvres d'Aki avaient un goût de feuille d'automne. Peut-être était-ce dû à l'odeur des feuilles mortes que l'homme en pantalon blanc faisait brûler dans la cour du temple. Elle appliqua sa main sur la bosse que faisait la boîte dans ma poche et m'embrassa à nouveau avec force. Le goût de feuille morte se fit plus pénétrant encore.

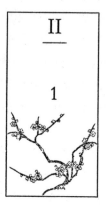

II

—

1

J'ai sorti du réfrigérateur un Coca que j'ai bu en restant debout. Le désert ocre s'étendait au-delà de la fenêtre. En l'espace d'une journée, celui-ci voyait passer une année entière. Le jour, il était exposé à un soleil caniculaire mais, la nuit, la température descendait quasiment au niveau du gel. Ce cycle se répétait toutes les vingt-quatre heures, alternant indéfiniment l'hiver le plus rigoureux et l'été le plus torride.

La climatisation de la chambre fonctionnait mal et, plutôt qu'un air frais, c'était un air froid qui se répandait dans la pièce. Je n'arrivais pas à croire que je n'étais séparé de la fournaise qui régnait au-dehors que par un mince panneau de verre. J'ai longuement contemplé le désert. On avait planté des bosquets d'eucalyptus ressemblant à des saules aux abords de l'hôtel ; çà et là poussait même une herbe rare, mais au-delà il n'y avait plus rien. Et comme rien n'accrochait la vue, où que l'on dirige ses yeux, le regard revenait se fixer sur les choses toutes proches sans garder aucune impression.

Les parents d'Aki étaient montés dans un car touristique pour faire le tour des environs. En hommage à Aki, ils voulaient visiter à sa place ce qu'elle n'avait pu voir par elle-même. Ils m'avaient invité à me joindre à eux, mais j'étais resté seul à l'hôtel. Je n'étais pas d'humeur à faire du tourisme. Ce que je voyais maintenant, elle ne l'avait pas vu. Même à l'époque. Et elle ne le verrait jamais. « Ici, où est-ce, ici ? » me demandais-je. Bien sûr qu'il était possible de déterminer la position de cet endroit en se basant sur ses coordonnées géographiques ou bien à partir de son nom sur une carte. Mais cela n'avait aucun sens. Où que soit « ici », *elle* n'était nulle part. Quel que soit le paysage, tout ressemblait pour moi au désert. Même les prairies verdoyantes des montagnes, même la mer étincelante, même la foule bigarrée des villes. Ce n'était pas la peine d'être allé aussi loin. Depuis la mort d'Aki, le monde entier était devenu un désert. Aki m'échappait. Même là, au bout du monde, où je pensais pouvoir la rattraper. Le vent balayait les traces de mes pas, le sable les recouvrait.

Des touristes en tenue décontractée prenaient leur repas dans la salle de restaurant de l'hôtel.

— Comment était le désert ? ai-je demandé quand j'ai aperçu les parents d'Aki.

71

— Il faisait une chaleur épouvantable, répondit M. Hirose.

— Vous avez escaladé Ayers Rock ?

— Mon mari n'est pas en état de le faire, intervint la mère d'Aki, il n'est pas en aussi bonne condition physique que moi.

— Toi, ce n'est pas pareil, tu es en trop bonne santé !

— Il faudrait que tu arrêtes la cigarette !

— Mais c'est mon intention !

— Cela fait un moment que tu en as l'intention !

— Ce n'est pas si facile !

— C'est tout simplement que tu ne crois pas un mot de ce que tu dis et que tu fais des promesses en l'air.

J'écoutais d'un air distrait leur dispute. Je ne comprenais pas comment ils pouvaient continuer à se chamailler comme si de rien n'était. En même temps, je savais qu'ils s'efforçaient de me changer les idées. Mais à quoi bon ? Aki n'était plus là. A quoi bon parler, se disputer ? Plus rien n'existait.

A la descente du car, nous avons fait face à un énorme rocher. Il avait la forme de grosses bosses, comme d'énormes dos de chameaux reliés les uns aux autres. Des chapelets de touristes en faisaient l'ascension en s'aidant d'une chaîne. L'érosion avait creusé par endroits des grottes sur les parois desquelles les aborigènes avaient laissé des peintures.

La montée était plus ardue que je ne m'y attendais. Je me suis mis tout de suite à transpirer. J'ai senti le sang battre à mes tempes. Le dôme au-dessus de ma tête me faisait penser au biceps d'un titan. Mais à peine nous sommes-nous élevés d'une dizaine de mètres que la pente s'est adoucie pour déboucher finalement sur le sommet du monolithe. Nous avons continué à avancer en escaladant et en redescendant les protubérances de grès. A l'autre extrémité, le rocher, qui s'élevait en pente douce, était interrompu brutalement par une cassure abrupte et profonde. La lumière translucide du soleil tombant quasiment à la verticale accentuait les reliefs que l'érosion avait creusés dans les couches sédimentaires.

D'en bas on ne se doutait pas à quel point le sommet était venteux. Cependant, l'air rendait supportable la chaleur extrême. Dans le lointain, une brume blanchâtre brouillait la limite entre la terre et le ciel, dérobant au regard la ligne d'horizon. Le même paysage s'étendait dans les quatre directions. Le ciel était d'une luminosité aveuglante ; il n'y avait pas le moindre nuage : ce n'était qu'un subtil camaïeu allant de l'outremer au bleu le plus pâle.

Nous avons avalé un *meat pie* chaud, presque brûlé, dans le restaurant sans prétention qui se trouvait au pied du monolithe.

Un Cessna s'est mis à survoler le site. Partout où l'on allait par ici, on apercevait des avions. Dans la région, les gens, pour se déplacer, allaient d'un aérodrome à un autre. D'ailleurs, dans le désert, on tombait régulièrement sur toutes sortes de petits appareils abandonnés, sur des carcasses de voitures aussi. Quand on habitait un continent aussi vaste, il fallait parcourir des kilomètres pour se rendre chez le garagiste le plus proche, de sorte que la solution la plus simple était encore de laisser pourrir sur place les engins qu'on ne pouvait pas réparer soi-même. J'ai contemplé le rocher que je venais d'escalader. La surface du dôme de grès était sillonnée d'innombrables plis sinueux.

— Cela ressemble à une cervelle d'être humain.

Lorsque quelqu'un a fait cette remarque à côté, une jeune femme, assise à la même table, qui portait à sa bouche une fourchetée de viande hachée accommodée de *gravy*, s'est arrêtée net et a crié sur un ton hystérique :

— Ecoute, tais-toi !

Au moins, Aki n'était pas impliquée dans cette conversation. Et moi non plus, je n'avais rien à y voir. D'ailleurs, je n'étais pas vraiment là. Je n'étais ni dans le passé, ni dans le présent, ni dans la vie, ni dans la mort. J'errais je ne sais où. Je ne comprenais pas pourquoi j'étais venu là. En faisant un effort, je pouvais bien constater que j'étais là. Mais je ne savais pas où j'étais vraiment. Je ne savais pas qui j'étais vraiment.

— Tu ne veux pas manger autre chose ? s'inquiéta Mme Hirose.

M. Hirose s'empara du menu qui était posé à la verticale au bout de la table et le tendit à sa femme. Celle-ci l'ouvrit devant mes yeux et le parcourut avec moi.

— Comment se fait-il qu'ils proposent autant de produits de la mer alors qu'on est en plein désert ? s'exclama-t-elle, interloquée.

— Ici, le ravitaillement se fait par les airs, répondit M. Hirose.

— Cela ne me dit rien de manger du kangourou ou du buffle.

Le garçon s'est approché. Comme je tardais à répondre, tous deux ont commandé du saumon de Tasmanie mariné et des huîtres, puis choisi un vin blanc abordable dans la carte des vins. Nous n'avons pas dit un mot pendant que nous attendions nos plats. Le père d'Aki m'a servi du vin. Nous le dégustions quand le même garçon est revenu avec notre commande. Je lui ai demandé de l'eau. J'avais la gorge sèche. Je mourais de soif. J'ai vidé le verre d'un coup. Subitement, je n'ai plus entendu les bruits alentour. L'impression n'était pas à proprement parler celle que l'on a quand de l'eau bouche les oreilles. Je ne percevais plus rien. C'était le silence absolu. Les voix, le cliquetis des couverts dans les assiettes, tout le fond sonore avait brusquement disparu. Les parents d'Aki continuaient à parler, je voyais leurs lèvres remuer, mais ils étaient muets. La seule chose qui me parvenait était le bruit de quelqu'un en train de grignoter un biscuit. Je l'entendais soit de loin, soit tout près, cela dépendait : crac, crac, crac, crac...

A ce moment-là, on ne pensait pas encore que la maladie d'Aki était si grave. D'ailleurs, je ne songeais pas un instant à faire le lien entre la mort et les adolescents de mon âge. La mort était réservée aux personnes âgées. Bien sûr, il nous arrivait de tomber malades. On attrapait un rhume, on se blessait. Mais la mort était quelque chose de différent. Il fallait d'abord vivre plusieurs dizaines d'années, vieillir lentement. La mort était au bout d'un long chemin, au terme d'une pente douce, toute droite, toute blanche. Elle était dissimulée au regard par une lumière aveuglante. On ne savait pas ce qu'il y avait après. Certains affirmaient que c'était le néant, mais personne n'était allé voir. Voilà ce qu'était la mort.

— J'aurais tant voulu y aller ! avait murmuré Aki.

Elle s'était confondue en remerciements lorsque je lui avais donné le souvenir que j'avais rapporté du voyage scolaire en Australie. Elle avait posé sur ses genoux la poupée en bois fabriquée par des aborigènes. Elle avait ajouté :

— Depuis que je suis toute petite, je n'ai presque jamais eu de rhume et il a fallu que je tombe malade à ce moment-là.

— Ne t'en fais pas, tu auras une autre occasion d'y aller, avais-je affirmé pour la rasséréner. On est à Cairns en moins de sept heures, c'est quasiment la même chose que d'aller à Tokyo par le Shinkansen.[1]

— C'est vrai, avait-elle répliqué sans grande conviction, mais j'aurais tant voulu y aller avec vous tous.

J'avais sorti des friandises d'un sac de supermarché. J'avais acheté les petits pots de flan au caramel qu'elle aimait et des biscuits.

— Ça te dit ?

— Oui, merci.

Nous avions mangé les flans sans dire un mot, puis les biscuits. A un moment, j'avais cessé de mâcher et tendu l'oreille. J'avais entendu le bruit que faisaient les incisives d'Aki grignotant les petits gâteaux : crac, crac, crac, crac… comme si c'était moi qu'elle était en train de ronger.

— On pourrait y aller en voyage de noces, avais-je lancé.

Aki, qui était distraite, s'était tournée vers moi, l'air de ne pas comprendre. J'avais répété :

— En Australie, on pourrait y aller en voyage de noces.

— Pourquoi pas ? avait-elle acquiescé machinalement.

Puis, reprenant ses esprits, elle avait demandé :

— Avec qui ?

---

1. Train à grande vitesse japonais. *(N.d.T.)*

77

— Comment ça, avec qui, mais avec qui d'autre que moi ?

— Avec toi, Saku'chan ? s'était-elle écriée en riant.

— Cela te paraît bête ?

— Pas du tout, mais cela fait bizarre, avait-elle répondu en reprenant son sérieux.

— Quoi donc ?

— De parler de voyage de noces.

— Qu'est-ce qui te paraît bizarre, de parler de voyage ou de noces ?

Elle avait réfléchi un moment puis déclaré :

— C'est l'idée du mariage qui me fait drôle.

— Qu'est-ce qu'il y a de drôle dans l'idée de mariage ?

— Je ne saurais pas dire précisément.

J'avais extrait un biscuit du paquet. La couche de chocolat sur le dessus avait commencé à fondre. Il faisait encore chaud malgré la saison.

— Tu as raison, cela fait bizarre de penser que nous pourrions nous marier.

— On a du mal à y croire.

— C'est un peu comme quand on prétend que la Vierge Marie était réellement vierge.

Nous nous étions tus. Nous avions continué à grignoter des biscuits comme si nous avions grignoté le temps qui passe : crac, crac, crac, crac...

Tout cela m'est revenu comme si j'étais remonté très loin dans le passé.

L'été approchant, les jours rallongeaient petit à petit. Nous repoussions le moment de rentrer à la maison après l'école en faisant de longs détours jusqu'à ce que la nuit commence à tomber. Une fraîche odeur de jeune verdure flottait dans l'air. Nous aimions remonter la rivière par la berge, en partant du temple où nous nous donnions toujours rendez-vous. Le lit était à sec par endroits, laissant se propager des herbes sauvages. Des petits poissons dans les flaques faisaient des bonds à la surface de l'eau. Les crapauds se mettaient à coasser dans le crépuscule. Nous nous embrassions furtivement lorsqu'il n'y avait personne alentour. Rien ne nous plaisait tant que d'échanger des baisers à la dérobée. C'était comme si nous nous donnions le luxe de ne croquer que la meilleure part des fruits que le monde nous offrait.

C'est par un soir comme celui-là, après avoir remonté puis redescendu la rivière pour revenir nous asseoir sur les marches de pierre qui menaient au temple, que nous avons conçu le projet d'une escapade pendant les vacances du mois de mai. Aki voulait absolument aller au zoo. Mais il n'y avait rien de tel dans notre bourgade. Le zoo le plus proche se trouvait dans une grande ville portuaire située à deux heures de train. C'est-à-dire qu'il fallait compter quatre heures de trajet aller et retour. Pour ce qui me concernait, je me serais contenté d'aller à la mer ou à la montagne qui étaient bien plus facilement accessibles. Mais Aki n'en démordait pas et soutenait qu'en partant aux aurores nous disposerions de plus de cinq heures pour nous amuser.

— Nous emporterons de quoi pique-niquer. C'est moi qui m'occuperai de préparer les victuailles pour nous deux. Comme ça nous n'aurons pas à dépenser d'argent pour le déjeuner.

— Il faut quand même compter le prix des billets de train.

— Ce n'est pas le bout du monde, non ?

En fait, j'avais économisé une partie de l'argent de poche gagné en travaillant à la bibliothèque. Il me suffirait de renoncer à l'achat de quelques CD et je disposerais d'assez d'argent pour le voyage.

— Chez toi, ils seront d'accord ?

— Chez moi ? s'étonna Aki en inclinant la tête d'un air perplexe.

— Oui, qu'est-ce que tu vas donner comme explication ?

— Que je vais visiter un zoo avec toi. Qu'est-ce que tu veux que je dise d'autre ?

Elle n'imaginait pas un instant raconter autre chose que la pure vérité. Mais présentée tout uniment comme cela, notre aventure prenait l'allure d'une excursion d'enfants de l'école primaire.

— Dans le code des samouraïs, « franchement » voulait dire « d'un coup net ».

Elle plissa les yeux d'un air soupçonneux :

— Qu'est-ce que tu veux dire ?

— Rien, rien. Je me demande ce que l'on pense de moi, chez toi. Est-ce que l'on me considère comme le futur époux de la fille de la maison ?

— Mais cela ne vient à l'idée de personne.

— Pourquoi ?

— Parce que nous avons à peine seize ans.

— Si l'on arrondit à la dizaine supérieure, cela nous fait vingt ans.

— Drôle d'arithmétique !

Mon regard s'était posé involontairement sur ses jambes, que sa jupe ne recouvrait qu'à moitié. Le soir tombait. Dans le clair-obscur qui nous enveloppait, la blancheur éclatante de ses chaussettes montantes m'éblouissait.

— De toute façon, j'aimerais t'épouser le plus vite possible.

— Moi aussi, déclara-t-elle sans ambages.

— J'aimerais être toujours à tes côtés. Puisque nous le voulons tous les deux, pourquoi cela n'est-il pas possible ?

— Saku'chan, ne te laisse pas emporter...

Sans me laisser freiner par sa remarque, j'ai repris :

— Le mariage naît soi-disant du consentement de deux adultes socialement autonomes. Si l'on suit cette façon de penser, les gens qui sont dépendants, en raison d'une maladie par exemple, ne devraient pas non plus pouvoir se marier.

— Tu ne crois pas que ton raisonnement est un peu tiré par les cheveux ? soupira-t-elle. Que signifie être socialement autonome ?

— Travailler, gagner sa vie.

— Gagner sa vie, qu'est-ce que cela veut dire ?

— C'est remplir une fonction qui correspond à ses capacités au sein de la société. En échange, on reçoit un salaire. Maintenant, imaginons une personne qui vaut par sa capacité à aimer quelqu'un d'autre. Est-ce qu'une telle personne ne se rend pas utile à la société ? Pourquoi ne serait-elle pas payée pour cela ?

— Si cela ne profite pas à tout le monde, cela ne peut pas marcher.

— Je ne vois rien de plus utile socialement qu'une personne capable d'aimer.

— Quant à moi, je veux bien prendre pour époux le garçon candide qui croit en de telles utopies.

— Malgré leurs belles paroles, la plupart des gens ne songent qu'à leur propre intérêt. La seule chose qui leur importe, c'est de manger ce qu'ils trouvent bon, de s'acheter ce qu'ils désirent. Quand on aime quelqu'un, on place le plaisir de l'autre au-dessus du sien. Suppose que nous n'ayons plus grand-chose à manger, je te donnerais ma part sans hésitation. Si nous manquions d'argent, je ferais passer tes désirs avant les miens. Ton contentement suffit pour me combler. Si tu es rassasiée, alors je n'ai plus faim. Si tu es heureuse, ton bonheur est le mien. Est-ce qu'il y a rien qui surpasse l'amour de l'autre? Je ne vois pas. Si un savant démontrait scientifiquement cette aptitude que nous avons à aimer les autres, il rendrait à l'humanité un plus grand service que n'importe quel prix Nobel. Si on n'en prend pas conscience, si on refuse d'en prendre conscience, autant mettre fin à l'aventure humaine. Autant entrer tout de suite en collision avec une météorite géante pour en finir rapidement.

—Saku'chan, fit Aki d'une voix douce comme pour m'apaiser.

—Les gens qui se croient supérieurs aux autres parce qu'ils sont intelligents sont des idiots. On a envie de leur dire : étudiez toute votre vie si cela vous chante. C'est pareil pour ceux qui gagnent beaucoup d'argent. Puisqu'ils sont si doués pour amasser de l'argent, ils n'ont qu'à vouer leur vie à ça. De cette façon, ils subviendront à nos besoins.

—Saku'chan...

Lorsque Aki a prononcé mon nom pour la deuxième fois, je suis resté suspendu. Son visage était tout proche. Elle penchait la tête en souriant d'un air faussement peiné.

—Tu ne veux pas m'embrasser ?

Le zoo était un zoo on ne peut plus ordinaire. Les lions somnolaient, les oryctéropes prenaient des bains de boue, les tamanoirs avalaient des fourmis. Les éléphants allaient et venaient dans leur cage en expulsant d'énormes crottes, l'hippopotame bâillait dans l'eau à s'en décrocher la mâchoire, les girafes, comme si elles se haussaient du col, déployaient leur long cou pour happer des feuilles en haut des arbres. Aki avait une véritable passion pour les animaux et rien ne l'arrêtait. Elle parvenait à se frayer un passage quelle que soit la masse des visiteurs agglutinés devant les cages. Pendant que nous observions les lémuriens, elle s'exclama : «Regarde comme il est habile avec sa queue!» A l'iguane vert derrière la vitre, elle lança : «Viens un peu par ici, toi!»

Franchement, une fois que nous avions payé l'entrée et jeté un coup d'œil aux lions et aux girafes, j'aurais voulu que l'on m'explique ce qu'il y avait d'intéressant à faire dans un zoo. A moins que l'on n'aime l'odeur nauséabonde de ce genre d'endroit... J'étais certes sensible aux questions relatives à la protection de l'environnement, mais je n'étais pas pour autant un écologiste fanatique et je me sentais encore moins l'âme d'un zoologiste. Je voulais seulement vivre heureux avec Aki. C'est dans cet unique but que je me souciais de la préservation de la nature et de la couche d'ozone. Si j'approuvais pour l'essentiel les mouvements de défense des animaux, ce n'était pas tellement en raison d'un amour débordant à leur égard mais parce que j'étais révolté par la cruauté et l'arrogance des hommes qui les maltraitaient et les tuaient. Aki se méprenait sur mes sentiments et imaginait que j'étais un gentil garçon, un ami des bêtes. Elle avait cru me faire plaisir en proposant cette visite au zoo. Mais je n'étais vraiment pas du genre à m'extasier devant un raton laveur ou une langouste ornée. J'avais d'autres choses en tête que je n'osais pas avouer, par lâcheté. J'aurais préféré l'embrasser, glisser ma main sous son corsage...

Nous avons pique-niqué près de la cage d'un gorille de plaine. Celui-ci se grattait tranquillement les aisselles dans un coin. Il fourrait de temps en temps le museau sous son bras pour le renifler. On avait l'impression qu'il était obsédé par sa propre odeur. Il recommençait ce manège inlassablement, si bien que je me suis demandé s'il ne souffrait pas d'une maladie nerveuse.

— Est-ce que tu as toujours les cendres de la femme dont ton grand-père était amoureux ? demanda Aki en sirotant une canette de thé oolong, lorsque nous avons fini de manger.

— Oui, bien sûr. J'en ai fait la promesse. Pourquoi cette question ?

— Ton grand-père a fini par se marier avec une autre femme que celle qu'il aimait.

— C'est d'ailleurs grâce à ce coup du destin que j'ai pu venir au monde.

— Quelle sorte de couple formaient-ils, ton grand-père et ta grand-mère ?

— Ma grand-mère est morte très tôt, si bien que je ne me souviens plus très bien, mais je crois que c'était un couple assez ordinaire. Ils ne s'entendaient pas trop mal. Ils étaient trop occupés à passer tous ses caprices à leur enfant gâté.

— Enfant gâté ?

— Je veux parler de mon père. Les enfants sont fragilisés quand les parents ne s'aiment pas et ils deviennent d'un caractère difficile, tu ne crois pas ?

— Dans quel cas est-on le plus heureux ? demanda Aki sans relever ma question.

— C'est-à-dire ?

— Est-ce qu'il est préférable de vivre avec la personne que l'on aime ou bien vaut-il mieux continuer à aimer cette personne tout en vivant avec une autre ?

— Quelle idée !

— Pense que, quand on vit avec quelqu'un, on a tous ses défauts en permanence sous les yeux. Il arrive toujours un moment où l'on se dispute pour des broutilles. Ces petits désaccords quotidiens finissent par s'accumuler et au bout de quelques décennies, quelle que soit la force des sentiments au début, on en arrive à ne plus rien ressentir.

Il y avait beaucoup de conviction dans ses propos.

— C'est une vision très pessimiste.

— Tu n'es pas d'accord avec moi ?

— J'ai une approche beaucoup plus positive. Si

j'ai beaucoup d'amour pour la personne que j'aime aujourd'hui, cela veut dire que j'en aurai encore plus dans dix ans. A ce moment-là, j'aimerai même les petites choses qui me gênaient au début. Et dans cent ans, je déborderai d'amour pour chacun de ses cheveux pris un à un !

— Parce que tu as l'intention de vivre cent ans ?

— C'est faux de dire que les amoureux en ont assez l'un de l'autre au bout d'un moment. Nous sortons ensemble depuis presque deux ans et je ne ressens aucune lassitude.

— D'accord, mais nous ne vivons pas ensemble.

— Mais qu'est-ce qui changera quand nous habiterons ensemble ?

— Tu t'apercevras de tous mes défauts.

— Lesquels, par exemple ?

— C'est difficile à dire comme cela.

— Tu penses que tu as tant de défauts que ça ?

— J'ai peur que tu finisses par me trouver moins aimable, bredouilla-t-elle, les yeux baissés, avec une expression d'accablement.

— Dans un mythe ancien, il est question de deux amoureux qui parviennent à déplacer la terre. Les jeunes gens étaient éperdument épris l'un de l'autre, mais certaines circonstances causèrent leur séparation. Je ne sais plus si c'est le père de la jeune fille ou ses frères qui s'opposaient à leur union. Le jeune homme fut exilé sur une île si distante du rivage qu'on ne pouvait s'y rendre avec un petit bateau. Cependant, les sentiments qu'ils se portaient l'un à l'autre étaient d'une telle intensité que l'île se mit à se déplacer insensiblement et à se rapprocher petit à petit jusqu'à ne faire plus qu'un avec la terre. Telle était la force de leur amour qu'elle avait transporté l'île à travers la mer afin qu'ils soient à nouveau réunis.

Aki gardait la tête baissée et semblait plongée dans ses pensées. J'ai poursuivi :

— Dans l'ancien temps, les gens croyaient beaucoup à la force de l'amour. C'est quelque chose dont ils pouvaient voir les manifestations autour d'eux ou bien qu'ils éprouvaient à l'intérieur d'eux-mêmes. On peut se demander pourquoi les hommes ont cessé d'utiliser ce pouvoir.

— Pourquoi, d'après toi ?

— Sans doute parce que, s'ils l'utilisaient trop librement, la vie deviendrait impossible. Suivant que les amants seraient unis ou séparés, les îles et les continents se rapprocheraient ou s'éloigneraient, les paysages ne cesseraient de changer, l'Institut géographique national ne saurait où donner de la tête. En plus, les rivalités amoureuses donneraient naissance à des luttes acharnées entre les soupirants. Ce serait à celui qui parviendrait à attirer à lui l'île de la femme convoitée. Ce serait épuisant, les gens y laisseraient toutes leurs forces.

— Je vois…

Aki hocha la tête comme si elle était convaincue par mes explications.

— C'est sûrement la raison pour laquelle les

hommes, même à l'origine, n'ont jamais abusé de ce pouvoir aux conséquences néfastes et qu'ils ont préféré investir leur énergie dans la chasse et la cueillette.

— Saku'chan, tu me fais penser au conseiller principal d'éducation ! s'exclama Aki en pouffant de rire.

Elle prit une voix rauque :

— Hirose, il n'y a rien de mal à être amoureuse, mais il ne faut pas pour autant arrêter de travailler. Il est indigne de toi de recevoir des notes en dessous de la moyenne en mathématiques. Je pense en particulier au jeune Matsumoto. Il faudrait veiller à modérer ta relation avec lui. Tu vas gâcher ta vie avec ce garçon. D'ailleurs, à force de penser à lui, tu vas finir par l'attirer jusqu'à cette île avec le continent qu'il a sous les pieds !

Aki reprit soudain sa voix normale et ajouta :

— C'est bientôt les examens.

— On se remet aux révisions dès demain.

Elle hocha la tête d'un air abattu. Je continuai :

— D'ici là, profitons de notre amour.

Pour aller de la gare au zoo, afin d'éviter la foule, nous nous étions écartés des grandes avenues pour emprunter des petites rues. En passant, j'avais remarqué un hôtel discret. J'avais aperçu du coin de l'œil le signal vert indiquant que des chambres étaient disponibles. J'avais même pu enregistrer les tarifs. Dans ma tête, j'avais fait mes comptes en déduisant l'argent du voyage du retour. J'avais l'intention de voir de plus près de quelle sorte d'hôtel il s'agissait.

Nous sommes repartis vers la gare par le même chemin. Nous étions bien en avance sur l'horaire. Le signal vert avec la mention CHAMBRES DISPONIBLES était éclairé. A mesure que nous approchions de l'hôtel, un silence pesant s'est installé entre Aki et moi. Notre pas s'est fait peu à peu plus lourd. Nous nous sommes presque immobilisés devant l'entrée.

— Aki, cela te gênerait d'aller dans ce genre d'endroit ? ai-je balbutié en regardant droit devant moi.

— Et toi ? répondit-elle en baissant les yeux.

— Moi, cela m'est égal.

— Tu ne crois pas que c'est prématuré ?

Silence.

— Jetons un coup d'œil à l'intérieur. Si le lieu nous déplaît, nous ressortirons aussitôt.

— Tu as de l'argent ?

— Oui, ce n'est pas un problème.

Nous avons poussé la lourde porte d'aspect cossu et sommes entrés timidement. J'étais tellement tendu que j'avais envie de vomir mon pique-nique du midi. Bizarrement, le souvenir du gorille en train de se gratter les aisselles me revint à l'esprit et m'aida à me contenir. Contrairement à ce à quoi je m'attendais, le hall était vivement éclairé et donnait une impression de propreté. Il était désert, il n'y avait pas âme qui vive.

— C'est calme…

Une machine ressemblant à un distributeur automatique de billets se dressait au fond. Apparemment, il fallait introduire de l'argent, appuyer sur le bouton de la chambre souhaitée et récupérer la clé dans le réceptacle du bas. De cette manière, on pouvait user de l'hôtel sans crainte d'être reconnu. J'ai enfoncé la main dans la poche arrière de mon pantalon pour en extraire mon portefeuille.

— Saku'chan, cela ne me dit rien… murmura Aki. Cet endroit me met mal à l'aise.

J'ai suspendu mon geste, ressorti la main de ma poche, tapoté mon portefeuille à travers le tissu.

— D'accord.

— Sortons d'ici.

Nous avons repris le chemin de la gare. Nous sommes restés longtemps sans prononcer une seule parole. J'avais le sentiment que le soir tombait à une vitesse accélérée. Ce n'est qu'en vue de la gare que j'ai fini par concéder :

— Tu as raison, c'était un drôle d'endroit.

Aki a simplement répondu :

— Donnons-nous la main.

Comme sujet de la dissertation littéraire à rendre après l'été, j'avais choisi le roman de Toshio Shimao, *L'ordre de départ ne vint jamais*. Le héros, commandant d'une unité kamikaze à la fin de la guerre du Pacifique, reçoit un jour de l'état-major l'instruction de se mettre en état d'alerte. Comprenant que ses derniers instants sont arrivés, il attend avec ses hommes l'ordre de départ. Mais celui-ci n'arrive pas. C'est dans ce flottement entre la vie et la mort imminente qu'il apprend la nouvelle de la reddition inconditionnelle du Japon.

L'été passait et notre relation ne connaissait pas d'évolution notable. Nous continuions de nous voir chaque jour mais les occasions de nous donner ne serait-ce qu'un baiser restaient rares. La perspective d'une « relation physique » paraissait d'autant plus éloignée. Je me demandais comment sortir de cette impasse. Je me répétais : « L'ordre de départ ne viendra donc jamais ? » Dans le roman, le héros confie : « C'est au contraire la pesanteur des jours qui suivirent le moment où je sus que je ne parti-

rais pas que je ne parvenais pas à supporter.»
C'était exactement ce que j'éprouvais. Cette visite
au zoo du mois de mai me laissait une terrible amertume. Quand je pensais que nous étions entrés
dans cet hôtel et que nous en étions ressortis sans
que rien ne se passe, j'avais le sentiment d'un
gâchis irréparable. Je me disais que j'appartenais à
une espèce en train de s'autodétruire. Les mâles au
caractère faible comme moi allaient s'éteindre sans
laisser de descendance alors que l'homme n'était
toujours pas devenu un animal doué de raison. Je
me torturais ainsi et les vacances d'été étaient
presque à moitié écoulées.

Un jour sur deux, l'après-midi, j'allais à la piscine
de l'école. J'y retrouvais de nombreuses connaissances. Nous faisions la course en enchaînant des
longueurs de bassin. Le vaincu offrait au vain-
queur un hamburger au McDonald sur le chemin
du retour.

C'est ainsi que je revis Ooki. Je n'avais presque
plus l'occasion de lui parler depuis qu'il avait
choisi la filière commerciale. Manifestement, il
avait continué le judo parce qu'il avait acquis la
carrure d'Arnold Schwarzenegger.

Nous avons nagé ensemble un moment puis
nous sommes sortis nous installer aux abords de la
piscine pour prendre le soleil. Allongés au pied
d'un grand camphrier, nous nous sommes amusés
à observer des colonnes de fourmis qui transpor-
taient de la nourriture jusqu'à leur nid.

— Tu ne nages plus ? interrogea Ooki.

— Je me demande quels plaisirs les fourmis ont dans la vie.

— Si tu ne nages plus, je retourne dans l'eau tout seul.

— Qu'est-ce qu'elles ont comme satisfactions, d'après toi ?

— Celle de dévorer les insectes affaiblis ou morts.

Il prononça ces paroles avec une telle gravité que je ne pus m'empêcher d'éclater de rire.

— Qu'est-ce qu'il y a ? grommela-t-il, vexé.

— Tu aimes toujours le judo ?

— Et alors ?

Il s'était levé et s'apprêtait à s'éloigner quand il se ravisa :

— Tu sors avec Hirose, n'est-ce pas ?

— Et alors ?

— Il y a un senior au club de judo qui a des vues sur elle. Tu ferais bien de faire attention.

— Comment s'appelle-t-il ?

— Tachibana.

— C'est un plaisantin, ce type !

Ooki eut un sourire d'incrédulité :

— Il est capable de te tuer. Lors du dernier festival d'été, il a envoyé à l'hôpital trois gars du lycée maritime qui l'avaient provoqué dans la salle de cinéma.

— Il ne me fait pas peur.

La réverbération du soleil produisait sur l'eau des reflets scintillants. Des cercles de lumière se dilataient et se resserraient sur le fond de la piscine peint en bleu. La bande de carreaux noirs signalant la proximité du bord du bassin ondulait sous la surface. Quand on relâchait son attention, on n'entendait plus les bruits alentour. On restait captivé par le paisible ondoiement de l'eau.

— Et avec Hirose, jusqu'où tu as été ?

— Qu'est-ce que tu veux dire par là ?

— Ben... tu l'as eue ?

— Vous les judokas, on ne peut pas dire que vous soyez d'une extrême délicatesse ! persiflai-je en clignant des paupières.

— Mais c'est simplement que je m'intéresse sérieusement à toi ! bougonna-t-il.

— En quoi cela t'intéresse-t-il ?

— Si ce n'est pas encore le cas, qu'est-ce que tu attends pour l'avoir ?

En fait, il ne pensait qu'à ça. Et d'ailleurs je n'étais pas loin d'en faire autant.

— Dans l'hypothèse où tu aurais été jusqu'au bout avec elle, je pense que Tachibana la laisserait tranquille.

Je ne voyais pas le rapport. D'abord, qu'il la laisse tranquille ou pas, un type qui se permettait de proférer des insanités sur « ma copine », sur « ma petite amie », m'était antipathique. Ce crétin de Tachibana, s'il trouvait Aki à son goût, pourquoi n'allait-il pas le lui dire en face ? J'avais surtout du mal à comprendre en quoi le fait que j'aie « eu » Aki ou pas l'inciterait ou non à la laisser tranquille.

Aki n'appartenait à personne. Aki n'appartenait qu'à elle-même.

— Les gars du club de judo ne sont pas des lumières ! me moquai-je.

— Tu m'énerves.

— Ne te fâche pas !

Il poussa un grand soupir :

— Je peux peut-être t'arranger ça.

— M'arranger quoi ?

— Te trouver un endroit, créer des circonstances propices. Je connais un coin où tu pourrais passer aux choses sérieuses.

J'ai plissé les yeux d'un air soupçonneux :

— Au club de judo, vous pratiquez aussi la traite des femmes ?

— Pourquoi dis-tu ça ?

— Qu'est-ce qui me vaut cette gentillesse ?

— Hirose et toi, vous êtes venus me voir à l'hôpital quand j'avais la jambe cassée, souffla-t-il d'une voix émue. Cela m'a fait du bien.

— C'est de l'histoire ancienne.

J'étais moi aussi gagné par l'émotion. Je me rappelais la promenade avec Aki sur la colline du château. Ooki revint à la charge :

— Est-ce que tu veux m'écouter ?

— Oui, vas-y.

— Ici, ce n'est peut-être pas le lieu idéal, observa-t-il en jetant un coup d'œil autour de nous. Allons en parler au McDonald.

— Au McDo ?

— Oui, en plus, j'ai un petit creux.

— Mais je n'ai pas spécialement faim.

— Moi, si ! martela-t-il en accentuant le «moi».

Je me sentis tout à coup dégrisé de l'émotion qui m'avait envahi l'instant auparavant :

— Il n'y a pas quelqu'un qui a dit que nous vivions une époque où même l'amitié était à vendre ?

— Cela ne me dit rien, trancha-t-il.

Puis il se leva en lâchant d'un air désinvolte :

— Pour moi, ce sera un Big Mac et une grande frite.

Ooki habitait dans un hameau situé au bord de la mer. Ses parents étaient éleveurs de perles. Dès le collège, il avait dû faire à vélo matin et soir les cinq kilomètres qui séparaient son domicile de l'école. Maintenant, sous prétexte que l'entraînement de judo était éprouvant, il utilisait le bus. J'étais souvent allé jouer avec des copains chez lui. Sa maison donnait directement sur la mer. Un radeau servant à l'ostréiculture, aussi vaste qu'un court de tennis, flottait à une dizaine de mètres du rivage. On pouvait aller s'y baigner. La côte tombait à pic à cet endroit et on ne voyait pas le fond marin. On se servait du radeau comme d'un plongeoir pour s'élancer dans l'eau. Mais aussi loin que l'on se jette, aussi profond que l'on s'enfonce, la mer semblait ne pas avoir de limites au point d'en être effrayante. Lorsque nous avions faim, nous allions à la coopérative acheter du pain et du lait que nous revenions avaler sur la plate-forme de bois. Puis nous retournions dans l'eau. Des bancs de petits poissons frétillaient sous nos jambes. Nous décrochions les moules collées aux planches, les cassions à l'aide d'une pierre et nous servions de leur chair comme appât pour pêcher. Les poissons-limes et les sébastes noirs téméraires qui se laissaient tenter finissaient le soir dans nos assiettes.

Les éleveurs de perles possèdent tous des bateaux. Il n'est pas rare qu'ils disposent d'une flottille de quatre ou cinq embarcations dont une au moins est laissée en réserve. Au dire d'Ooki, si, entre avril et juin, lorsque l'on introduit le noyau dans les coquilles d'huîtres, la culture des perles demandait beaucoup de travail, le reste du temps, l'activité tournait au ralenti, de sorte que nous pouvions emprunter aussi longtemps que nous voulions, sans même demander la permission, le hors-bord dont était équipée la ferme perlière. Apparemment, le canot aurait même pu disparaître que personne ne s'en serait aperçu.

Il y avait, à environ un kilomètre au large, une petite île qu'on appelait l'île des rêves. Dix ans auparavant, une compagnie locale de ferries avait lancé un vaste projet visant à y aménager une station balnéaire pourvue d'une plage, d'un parc d'attractions et d'un hôtel. Cependant, les dirigeants de la banque qui finançait la société maritime avaient fini par nourrir des doutes sur la viabilité de l'entreprise et s'étaient retirés. Faute de ce soutien, le projet avait été gelé. Puis la compagnie de ferries avait elle-même fait faillite, si bien que le programme avait été définitivement enterré.

— L'aménagement de l'île était presque entièrement terminé, marmonna Ooki en enfournant les frites. De chez moi, on aperçoit encore la grande roue et les montagnes russes.

— Mais puisque les travaux sont presque achevés, il n'y a pas une autre société qui pourrait prendre la suite et mener l'aménagement à bien ? demandai-je en sirotant mon café.

— Le projet ne tient manifestement pas la route et l'exploitation serait un gouffre financier.

Une image irréelle des installations laissées à l'abandon sur l'île se forma dans mon esprit. Du temps de mon entrée à l'école primaire, un concours artistique était organisé chaque année auprès des élèves. Un jury, constitué du maire ainsi que du directeur de la compagnie de ferries, récompensait par un premier et un deuxième prix les plus belles représentations imaginaires de l'île.

Les lauréats repartaient avec des lots somptueux, comme une bicyclette ou un ordinateur. Pour ma part, j'avais dessiné une île aménagée comme une cité futuriste.

— Mais tout cela n'est pas perdu pour tout le monde, poursuivit Ooki en mordant à belles dents dans son Big Mac. En particulier en ce qui concerne l'hôtel.

Je dressai instinctivement l'oreille. Il hocha la tête d'un air entendu :

— Les jeunes des environs qui possèdent des bateaux s'en servent comme d'une maison de rendez-vous. Ils font la traversée le vendredi ou le samedi soir et passent la nuit avec des filles dans les lits de l'hôtel.

— C'est vrai ? m'exclamai-je en me penchant en avant.

— J'ai exploré l'hôtel un jour que nous étions allés pêcher sur l'île avec les gars du club de judo. Il n'y avait pas une chambre qui ne soit pleine de préservatifs usagés.

— Ah bon ! soufflai-je avant d'avaler le reste de café tiède.

— Toi aussi tu pourrais y emmener Hirose et coucher avec elle.

— Dans une des chambres pleines de préservatifs ?

— Cela ne te tente pas ?

Est-ce qu'Aki, qui avait refusé de mettre les pieds dans un hôtel de bon standing, propre et clair, trouverait du charme à une île ressemblant à un no man's land ? Si je l'emmenais là-bas, j'avais tout lieu de craindre non seulement qu'elle se refuse à moi mais qu'elle tombe carrément en syncope. Est-ce que je voulais abuser d'elle pendant qu'elle serait évanouie ?

— On peut aller sur l'île comme on veut ? Même l'accès au bâtiment est libre ?

— C'est sûrement la propriété de quelqu'un mais il n'y a aucune surveillance.

— Ce qui m'ennuie, c'est l'idée que je pourrais me retrouver nez à nez avec d'autres garçons des villages environnants.

— Il n'y a pas de problème. Ils y vont seulement pendant le week-end. Si on organise une expédition un mardi ou un mercredi, il n'y aura personne.

— Parce que tu serais d'accord pour nous emmener là-bas en bateau ?

— Si vous me remboursez les frais de carburant, je veux bien faire ça pour vous.

— Il faudra que l'on te nomme Ryûnosuke le passeur, dorénavant !

— Voilà une affaire rondement menée, play-boy !

— Arrête de m'appeler ainsi, je suis tout sauf un play-boy !

Nous avons continué à nous taquiner de la sorte tandis que je commençais déjà à chercher le prétexte sous lequel je pourrais bien amener Aki à m'accompagner sur l'île des rêves.

Je me suis levé vers six heures du matin et j'ai retrouvé Aki à l'arrêt de bus. J'avais dit à mes parents que j'allais camper. J'avais raconté qu'un de mes copains avait une maison aux abords de laquelle on pouvait planter une tente, que l'on avait la mer en face et que c'était idéal pour pêcher ou aller se baigner. En cas d'urgence, il était toujours possible d'appeler chez lui. Je leur avais noté le numéro de téléphone d'Ooki sur un morceau de papier. Les parents sont rassurés et ne posent pas de questions lorsque l'on semble jouer cartes sur table. D'ailleurs, dans les grandes lignes, mes explications ne constituaient en rien un mensonge. Il s'agissait bien d'aller camper près de la maison d'Ooki.

— Comment s'appelle la copine d'Ooki ? interrogea Aki dans le bus.

— Je ne la connais pas mais je crois que c'est une fille de la section commerciale, comme lui.

— Comment se fait-il qu'il nous ait invités ?

— Il se souvient que nous étions allés lui rendre visite à l'hôpital quand nous étions ensemble au collège.

— Lorsqu'il s'était cassé la jambe ?

— Oui, cela lui avait fait énormément plaisir.

— Il a le sens de la gratitude.

Or, cet Ooki, si pénétré de reconnaissance pour notre dévouement, nous apprit à notre arrivée que sa copine ne pourrait malheureusement pas se joindre à nous comme prévu.

— C'est vraiment dommage ! m'exclamai-je en prenant un air d'extrême affliction.

— Et comment ! renchérit Ooki.

— Tant pis, nous irons tous les trois.

Nous avons chargé nos bagages sur le canot amarré au radeau.

— Mais, Ooki, tu n'as pas de bagages ? demanda Aki.

J'ai fixé Ooki d'un œil noir.

— C'est-à-dire…

— En fait, c'est moi qui me suis chargé de prendre des affaires pour lui, me suis-je empressé d'intervenir. Comme c'est lui qui prête son bateau…

— Oui, moi je suis le capitaine.

Nous sommes montés à bord l'un après l'autre. C'était un hors-bord en fibre de verre d'une capacité de quatre personnes équipé d'un moteur antédiluvien.

— En route ! lança Ooki d'une voix pleine d'entrain.

— Et que ça saute ! ai-je renchéri.

On lisait du scepticisme sur le visage d'Aki qui s'était assise au milieu du canot. L'aube venait de se lever et la baie était encore enveloppée dans la brume. On distinguait à peine les radeaux et les bouées en plastique flottant à la surface de l'eau. Si l'on tournait les yeux vers le ciel, on sentait cependant que le soleil éclatant de l'été commençait à percer la nappe de brouillard. La lumière diffuse se réfléchissait dans les éclaboussures translucides que rejetait de chaque côté la proue du canot fendant la mer. La brume s'est dissipée une fois que nous avons été au large. Un milan nous a survolés en dessinant de grands cercles au-dessus de nos têtes. Nous avons croisé de temps en temps des chalutiers de retour de la pêche. Aki se tournait à chaque fois dans leur direction en agitant la main. Les équipages lui répondaient en faisant de même. Ooki, qui maniait la barre, l'observait en plissant les yeux, comme s'il était ébloui.

A mesure que nous approchions de l'île, la grande roue devenait de plus en plus gigantesque. Le parc d'attractions donnait directement sur la plage où s'alignaient des cabines de bain et de douches. Les installations, délabrées, rongées par la rouille, étaient en train de se dégrader de façon irrémédiable sous l'effet des intempéries. Le soleil, déjà haut dans le ciel, venait frapper l'axe de la grande roue, avivant la peinture rouge écaillée.

L'hôtel blanc, en béton armé, se dressait au

sommet d'une hauteur à l'arrière-plan. Les pilotis de l'appontement situé à gauche du parc avaient pris une teinte rouille uniforme. Il n'y avait ni digue ni rochers empilés formant brise-lames. L'île se trouvant loin des côtes, en l'absence de typhon ou de tempête, la mer était généralement calme. Ooki ralentit le moteur et approcha lentement le canot de l'embarcadère. Quand on se penchait par-dessus bord, on apercevait des bancs de petits poissons de couleur bleue ou jaune zigzaguant dans l'eau irradiée de soleil. Des méduses blanches flottaient un peu plus loin.

J'ai grimpé le premier sur l'appontement pendant qu'Ooki stabilisait le canot en se retenant par les mains à la structure. J'ai amarré le cordage qu'il m'a lancé à un pilot, puis j'ai tendu la main à Aki pour l'aider à monter elle aussi. Ooki nous a rejoints une fois les bagages débarqués et j'ai invité Aki à prendre la direction de la plage.

— Et Ooki ? demanda Aki.

— Ben moi… commença-t-il en me jetant un coup d'œil à la dérobée.

— Ooki va pêcher… ai-je repris vivement.

— D'accord, allons pêcher…

— C'est-à-dire qu'il préfère pêcher tranquillement…

La plage étant située au sud de l'île, le soleil dardait directement sur nous ses rayons implacables. Il n'y avait pas la moindre trace d'ombre. Il fallait s'éloigner du rivage pour atteindre les premiers arbres, des fromagers qui avaient planté leurs racines dans la terre sablonneuse. On entendait de temps en temps le cri des oiseaux dans la direction de la montagne. Mais l'instant d'après, il n'y avait plus que le clapotis des vagues.

Les cabines de bain étaient tellement délabrées qu'il ne pouvait être question de les utiliser. Leur armature métallique était corrodée par la rouille, le plancher, pourri. Elles étaient en outre infestées de parasites. Nous n'avons pas eu d'autre choix que de nous changer à tour de rôle derrière une cabine de douche.

Nous avons nagé tranquillement vers le large. Aki nageait bien. Elle avait une façon gracieuse de glisser le visage dans l'eau et de se propulser en avant en pivotant légèrement. A travers les lunettes de plongée, on apercevait toutes sortes de poissons multicolores. Le fond était tapissé d'étoiles de mer et de crabes. Je suis parvenu à trouver un endroit où prendre appui afin de lui donner les lunettes. Mais comme elle-même n'avait pas pied, je l'ai soutenue en plongeant sous l'eau pendant qu'elle les passait autour de sa tête. J'avais sa poitrine à quelques centimètres de mes yeux. Sa peau blanche immergée miroitait dans la lumière du soleil.

Nous sommes repartis vers le large. Je n'avais plus pied du tout. Après avoir contemplé un moment la vie sous-marine, Aki s'est arrêtée et m'a tendu les lunettes en se maintenant à la verticale.

— C'est génial ! s'est-elle écriée.

J'ai repris les lunettes. A cet endroit, la déclivité du fond s'accentuait brutalement, formant un angle de plus en plus aigu. A mesure que la mer était plus profonde, on distinguait de moins en moins le fond. Celui-ci a bientôt été avalé par des ténèbres insondables où la lumière ne parvenait pas. J'en ai eu froid dans le dos.

Aki souriait. J'ai déposé en un éclair un baiser sur ses lèvres. J'ai été maladroit. Nous avons tous les deux bu la tasse. Nous nous sommes mis à tousser au-dessus de l'eau mais nous avions envie de rire en même temps. Aki m'a pris par la main et s'est mise à faire la planche. J'ai fait de même. Je me suis laissé dériver ainsi, les yeux fermés. L'intérieur de mes paupières était d'un rouge intense. Des vaguelettes venaient se briser délicatement contre mes oreilles. Quand j'ai rouvert les yeux et regardé sur le côté, les cheveux d'Aki étaient répandus comme une traînée d'encre noire à la surface de l'eau.

Midi approchant, nous sommes retournés à l'embarcadère. Ooki nous attendait. Comme convenu, il expliqua qu'il avait reçu un appel de chez lui sur la radio du canot. Sa mère était malade et il fallait qu'il rentre à la maison.

— Dans ce cas nous rentrons également avec toi, proposa Aki, pleine de sollicitude.

— Non, ce n'est pas la peine, rétorqua Ooki, le visage crispé. Vous pouvez rester ici pour pêcher en m'attendant. Vous êtes venus exprès pour ça.

Je serai de retour avant ce soir. Cela m'étonnerait que ce soit bien grave. Ma mère a des problèmes de tension. Elle va prendre ses médicaments, se reposer un peu et elle aura vite récupéré.

— Alors vas-y et reviens-nous vite, ai-je déclaré avec un empressement censé manifester une profonde sympathie.

— Est-ce qu'on ne ferait pas mieux de retourner tous ensemble pour nous assurer de l'état de ta mère ? objecta Aki d'un air préoccupé. Si ce n'est rien, nous pourrons toujours revenir, mais si au contraire c'est grave, nous serons, en restant ici, une cause d'embarras pour toi et ta famille.

— Certes…

Je ne savais plus sur quel pied danser. J'ai jeté un regard implorant à mon complice. De grosses gouttes de sueur perlaient sur son front.

— Mon grand frère reviendra du travail ce soir. Je serai libéré. J'ai tellement envie de faire du camping ! Je vais bien m'occuper de ma mère jusqu'à ce soir et après je pourrai faire ce qui me plaît.

« Tu me sauves la mise, tu es vraiment un chic type », ai-je pensé très fort tout en contemplant Aki avec une expression langoureuse.

Celle-ci semblait ébranlée par la plaidoirie d'Ooki.

— Alors nous restons ?

J'ai croisé le regard d'Ooki. Il faisait mine d'avoir l'esprit ailleurs mais je pouvais lire dans ses yeux : « Ben, mon vieux ! » A l'insu d'Aki, j'ai fait le geste de joindre les mains devant ma poitrine en signe de gratitude.

Nous avons tous deux déployé alors une énergie qui ne nous était ni à l'un ni à l'autre habituelle. Ooki voulait repartir au plus vite. Quant à moi, j'avais hâte de le voir monter à bord et s'éloigner avant qu'Aki ne change d'avis.

— Chambre 305, me souffla-t-il au moment où je détachais la corde qui retenait le bateau. Tu sais, ce genre de service se paie très cher !

— Je te revaudrai ça, répliquai-je en joignant à nouveau discrètement les mains.

Le canot d'Ooki disparut dans le lointain. Nous sommes restés sur l'embarcadère pour pique-niquer. Aki portait un tee-shirt blanc sur son maillot de bain. J'étais resté en short. Soudain, l'idée que j'étais seul sur cette île avec elle surgit dans mon esprit avec une telle acuité que j'en reçus comme un choc à la poitrine. Je sentis monter du fond de mon corps un désir d'une force inconnue. Ooki ne devait pas revenir avant le lendemain midi.

Je ne reconnaissais même pas le goût des aliments. J'étais pris de vertige devant la liberté qui m'était accordée.

J'avais vingt-quatre heures devant moi, pendant lesquelles je pouvais faire de moi ce que je voulais : je pouvais me faire loup, si cela me chantait, je pouvais me faire bouc. Mon « moi » pouvait s'étendre à volonté de la face claire de Dr Jekyll à la face sombre de Mr Hyde. Cependant, j'éprouvais une certaine appréhension à prendre un visage particulier. Car il me faudrait du même coup renoncer à toutes les autres possibilités. Ce qu'Aki aurait devant les yeux ne serait qu'un «moi» parmi un nombre incalculable d'autres personnages dont je pouvais endosser la personnalité. Analysant les choses sous cet angle, le désir que j'avais ressenti s'atténua, cédant la place à un étrange sentiment de responsabilité.

Une fois le repas terminé, nous sommes partis pêcher à l'aide du matériel qu'Ooki avait laissé. Il suffisait d'accrocher une chenille à l'hameçon et de lancer la ligne pour ramener des perches de mer ou des centrolophes noirs. Au début, nous avions l'intention de faire de ces poissons notre dîner, mais ceux-ci mordaient si facilement qu'ils nous inspirèrent de la pitié et que nous décidâmes de les remettre à l'eau. Ce petit jeu finit aussi par nous lasser et nous cessâmes de pêcher.

Les épaisses planches de bois dont était constituée la plate-forme de l'embarcadère absorbaient la chaleur du soleil et étaient brûlantes sous les pieds. Nous nous sommes assis sur le bord en nous laissant gagner par une douce torpeur. Le large nous apportait une brise fraîche qui prévenait la transpiration. Nous nous sommes appliqué réciproquement sur le corps de la crème solaire à fort indice protecteur. Nous descendions de temps en temps de l'embarcadère pour aller dans l'eau nous rafraîchir les jambes ou le visage.

— J'espère que la mère d'Ooki va bien, murmura Aki d'un air soucieux.

— C'est juste que sa tension a monté un peu, cela ne doit pas être bien grave.

— Si on a pris la peine d'appeler sur la radio du hors-bord, c'est que c'est suffisamment sérieux.

Le mensonge que j'entretenais vis-à-vis d'Aki commençait à me peser. Quand je me retrouvais en tête à tête avec elle, la question d'une «relation physique» n'avait plus la même importance. Maintenant que le stratagème impliquant Ooki était sur le point de réussir, il me semblait que j'avais agi de façon puérile et stupide. Et j'avais le sentiment indéfinissable que l'auteur de cet acte puéril et stupide était observé depuis le lointain.

Aki sortit de son sac à dos une petite radio qu'elle alluma. C'était l'heure de l'émission «L'après-midi de la pop». La voix familière des animateurs se mit à retentir :

— Encore une chaude journée ensoleillée. C'est normal puisque nous sommes en été ! Aujourd'hui, nous vous avons concocté une programmation spéciale de morceaux à écouter sur la plage.

— Mais vous pouvez toujours nous joindre sur notre ligne téléphonique pour nous faire part de vos souhaits. N'hésitez pas, toute l'équipe est à votre écoute. Nous tirerons au sort dix personnes parmi les auditeurs qui appelleront. C'est l'occasion pour vous de gagner notre magnifique tee-shirt spécial.

— Commençons par jeter un coup d'œil sur le courrier que nous avons reçu.

— Eh bien, nous avons sélectionné une carte signée de Yoppa qui nous écrit de Kazemachi. Je lis : « Bonjour à vous. Merci pour votre émission ! » Bonjour Yoppa ! « Je suis hospitalisé parce que j'ai une douleur au ventre. » Nous avons une pensée pour toi, Yoppa. « Je subis des examens tous les jours et je commence à en avoir marre. » Il ne faut pas te décourager. « Je pense que je n'échapperai pas à une opération et je suis dégoûté parce que c'est justement les vacances d'été. Mais je me dis que la vie est longue et que si tout va bien j'ai encore plein d'étés devant moi. » Oui, c'est très dur de se retrouver à l'hôpital.

— Moi aussi, j'ai eu une opération au ventre. Quand j'étais au lycée. J'avais une appendicite. Je suis resté trois jours à l'hôpital. Ce n'est jamais très agréable de subir une opération, mais cela passe très vite.

— C'est intéressant d'entendre témoigner quelqu'un qui a vécu la même expérience. Ce que tu dis de ton opération de l'appendicite peut certaine-ment donner du courage à Yoppa. Nous espérons que ta maladie n'est pas trop grave, Yoppa. Nous te souhaitons plein de bonnes choses et un prompt rétablissement. Maintenant, écoutons le morceau que tu as choisi, « Les fruits de l'été » par les Southern All Stars.

— Saku'chan, tu te souviens du message que tu

avais envoyé à l'émission de radio ? demanda Aki au milieu de la chanson.

— Oui, je m'en souviens.

J'aurais préféré éviter ce sujet. Mais elle ajouta sur un ton nostalgique, semblant fouiller dans sa mémoire :

— Nous étions en quatrième. Tu avais choisi « Tonight ». Tu avais inventé un mensonge incroyable.

— Tu m'en avais voulu.

— Mais maintenant c'est un bon souvenir. C'est pour être sûr d'être lu à l'antenne que tu avais monté ce bateau ?

— Oui. J'avais entendu dire que tu avais un petit copain au lycée.

— Un petit copain ? s'écria-t-elle d'une voix étranglée en se tournant brusquement vers moi.

— Un gars mignon du club de volley.

— Ah, fit-elle comme si la chose lui revenait, mais comment l'as-tu appris ?

— Les filles de la classe me l'avaient dit.

— Cela ne m'étonne pas. En fait j'étais amoureuse de lui mais c'était à sens unique.

— Amoureuse ?

— A cet âge-là, on ne connaît rien à l'amour.

Aki me fixait comme si elle épiait une réaction sur mon visage.

— Est-ce que par hasard tu serais jaloux ?

— Ce n'est pas anormal.

— Mais j'étais une gamine de quatrième.

113

— Tu sais, je suis même jaloux de ton soutien-gorge !

— N'importe quoi !

De gros panaches de nuages se formaient peu à peu à l'horizon dans la direction de la terre. Un halo blanc lumineux surmontait leur masse grise qui s'empâtait de noir à la base. Le ciel résonnait de coups de tonnerre dans le lointain. Un vent moite et tiède s'était levé, venant du large. Les cumulo-nimbus semblaient s'avancer vers nous en envahissant tout l'espace. La mer elle-même, auparavant d'un bleu turquoise, avait pris une coloration grisâtre.

— Ooki n'a pas l'air de revenir, s'inquiéta Aki.

A cet instant je faillis tout lui révéler, lui dire toute la vérité, lui demander sincèrement pardon, tellement il me devenait difficile de contenir mon envie de soulager ma conscience.

De grosses gouttes de pluie se mirent à tomber. Elles furent espacées au début, mais leur cadence s'accéléra rapidement comme sur un métronome mécanique dont on abaisse le poids par à-coups. Il n'y eut bientôt plus qu'un bruit de fond uniforme.

— Comme c'est agréable ! murmura Aki avec ravissement.

Elle leva le visage vers le ciel et présenta son front à la pluie :

— Tout était prévu ?

Je me retournai vers elle. Les gouttes rebondissaient sur ses joues.

— A l'origine, le projet était de partir camper à quatre, continua-t-elle. Mais au moment de partir, on apprend que la petite amie d'Ooki ne peut pas se joindre à nous. Ensuite, c'est la mère d'Ooki qui a des problèmes. Si bien qu'il ne reste que nous deux sur cette île.

Elle avait découvert le pot aux roses.

— Excuse-moi, bafouillai-je en me tournant à nouveau vers elle et en baissant piteusement la tête.

La pluie redoubla. Les vagues qui balayaient l'embarcadère s'élevaient de plus en plus haut. Aki gardait la tête levée, les yeux fermés, laissant la pluie ruisseler sur son visage.

— De toute façon il n'y a plus rien à faire, déclara-t-elle maternellement. Quand est-ce que le bateau doit revenir ?

— Demain vers midi.

— On a du temps devant nous, alors.

— Je m'en voudrais si tu passais ce moment avec moi à contrecœur.

Elle ne répondit pas. Elle fixait d'un air absent son sac à dos trempé et la glacière contenant la nourriture. Puis elle se leva en lançant :

— On ferait bien de transporter les bagages à l'abri.

6

Si, vu de loin, l'hôtel pouvait paraître neuf, quand on se rapprochait on se rendait compte que la peinture s'écaillait et que l'édifice ressemblait davantage à une ruine. Une pente douce, derrière l'énorme cycas qui se dressait devant la façade, menait au hall d'entrée. Nous nous sommes arrêtés pour considérer une nouvelle fois le bâtiment de trois étages. Même utilisé comme décor pour un film fantastique, il ne serait pas parvenu à dégager une atmosphère d'angoisse. Certaines des planches qui avaient été clouées sur la porte automatique avaient été ôtées, laissant un passage suffisant pour se glisser à l'intérieur. Plutôt qu'un lieu de rencontre pour les amoureux, l'endroit semblait propice au trafic de drogue et à la contrebande.

Le rez-de-chaussée était occupé par le hall, un salon, ainsi que le restaurant et les cuisines. Des chaises et des tables étaient empilées dans un coin de la salle à manger. Nous avons traversé le hall et lentement monté l'escalier. Les chambres se trouvaient aux étages supérieurs. Des portes, munies de poignées et taillées dans d'épais panneaux de bois de couleur marron foncé, étaient sagement alignées d'un côté du corridor. Du sable s'était accumulé un peu partout sur le sol et les semelles de nos sandales crissaient en se posant.

Ooki m'avait dit : «Chambre 305.» Il était allé préparer cette chambre pendant que je nageais avec Aki. Il avait fait disparaître les préservatifs usagés et tout ce qui aurait pu la choquer. Pour sa récompense, sa seule garantie était la promesse que je lui avais faite d'une rétribution. Nous n'avions pas fixé de montant, mais un Big Mac et des frites ne suffiraient certainement pas. J'avais d'ores et déjà le sentiment d'être endetté jusqu'au cou comme un patron de petite entreprise.

A un endroit dans le corridor, les fenêtres étaient brisées et les ramures des arbres qui poussaient à flanc de montagne pénétraient à l'intérieur. Les branches élevaient jusqu'au plafond leur épais feuillage bleuté. A ce train-là, ce n'était qu'une question de temps avant que l'hôtel ne soit complètement envahi par la végétation.

Quand j'ai ouvert la porte de la chambre 305, le grand lit double m'a sauté aux yeux. Il semblait trôner au milieu de la pièce. J'ai eu le réflexe de me détourner comme si j'avais vu une chose que je n'aurais pas dû voir. Nous ne savions ni l'un ni l'autre où poser le regard et nous avons fait mine d'inspecter le sol et le plafond. Il aurait fallu que je dise quelque chose mais j'étais incapable d'émettre un son. Mon corps réagissait au silence en se raidissant. Je m'entendis même avaler la salive qui s'était accumulée dans ma gorge. Je finis par articuler :

— Posons d'abord nos affaires ici et partons explorer l'hôtel.

— D'accord, fit Aki avec soulagement.

Nous sommes descendus dans les cuisines. Là aussi, la végétation avait commencé à se propager, formant par endroits de petits buissons. Après le bain de mer, nous nous sentions poisseux. L'averse n'avait pas suffi à nous rincer complètement. Nous avons ouvert les robinets au-dessus des éviers mais l'eau était coupée.

— S'il n'y a pas d'eau, on ne pourra pas préparer le dîner ! s'exclama Aki sur un ton de reproche.

— Selon Ooki, il y a un puits derrière l'hôtel, ai-je avancé comme pour me justifier.

La porte de service manquait. La pluie avait cessé sans que l'on s'en aperçoive. Le soleil qui se couchait derrière la montagne laissait la pénombre s'étendre lentement sur le sol de la cuisine. L'hôtel était accroché à la pente, couverte de hautes herbes rougeoyantes. C'était un emmêlement si touffu de broussailles, d'arbrisseaux, de plantes grimpantes qu'on ne voyait plus la terre au travers.

Deux machaons voletaient à la poursuite l'un de l'autre au-dessus d'un églantier dans lequel s'entrelaçaient de l'armoise et de l'houttuynia. Un vieux bassin de pierre se trouvait à quelques pas plus haut. On serait facilement passé à côté sans le voir, car il était à moitié recouvert par la végétation. Une eau transparente débordait d'un tuyau en plastique qui dépassait des herbes. Il était certainement alimenté par des sources de la montagne. Nous avons trempé nos mains dans le bassin ; l'eau était délicieusement fraîche.

— Nous pouvons nous laver ici, proposai-je.

Aki portait toujours son tee-shirt sur son maillot de bain.

— Je vais chercher les serviettes de bain.

— Oui, dit-elle en jetant un regard gêné autour d'elle.

Lorsque je suis redescendu de la chambre du deuxième avec, dans un sac en plastique, les serviettes et les affaires de rechange, Aki se tenait nue, de dos, près du bassin. C'était un spectacle étrange. Le soleil disparaissait derrière la montagne. Le corps d'Aki, d'un blanc immaculé, se détachait comme une image flottante parmi la verdure assombrie. Je l'ai longuement contemplée ; j'avais l'impression de la voir en rêve.

— Qu'est-ce que tu fais ?

— Je n'ai pas de serviette, répondit-elle sans se retourner.

— Tu t'es déshabillée sans te soucier de ce qui se passerait après ?

J'ai déposé en riant une serviette sur son épaule.

— Merci.

Aki se mit à s'essuyer rapidement puis attacha la serviette au-dessus de sa poitrine. La serviette n'était pas aussi longue qu'elle s'y attendait et s'arrêtait bien au-dessus des genoux.

— On est prié de ne pas regarder! protesta-t-elle.

Le bassin était rempli d'herbes aquatiques d'un vert tirant sur le brun qui ondulaient telles des tresses de fins cheveux. J'ai trempé ma serviette dans l'eau pour me frotter. Je me suis essuyé à l'aide de cette même serviette que j'avais fortement essorée. Aki me regardait depuis l'entrée de la cuisine.

— Tu étais toujours là ?!

Elle baissa précipitamment les yeux.

— Je me demandais si tu avais besoin d'une serviette sèche.

— Merci, dis-je en me saisissant, sans me retourner, de la serviette qu'elle me tendait.

J'avais emprunté à mon père, qui aimait faire des excursions en montagne, un réchaud, une grosse gamelle et des couverts de camping. C'est moi qui me chargeai de préparer le repas du soir. Au menu, nous avions prévu une spécialité d'anguilles avec du riz dite *unatamadon*. J'ai fait bouillir l'eau minérale que j'ai versée ensuite sur le riz. De cette manière, la cuisson n'allait pas prendre plus de dix minutes. Pendant ce temps, j'ai râpé une racine de bardane que j'ai mise à tremper dans de l'eau. J'ai coupé en petits morceaux les poireaux et les anguilles précuites en sachets. J'ai déposé la bardane râpée au fond de la gamelle, versé un peu d'eau et de la sauce. Quand la préparation est arrivée à ébullition, j'ai ajouté les morceaux d'anguille et de poireaux et laissé mijoter. Puis j'ai ajouté un œuf battu, mis le couvercle, arrêté le feu et laissé le tout reposer un moment. Il ne me resta bientôt plus qu'à en garnir les bols remplis de riz pour que le dîner soit prêt. Accompagné d'une soupe miso, ce plat fait un excellent repas complet.

Aki s'occupa de la salade de légumes et de l'assortiment de fruits. Tous ces préparatifs prenaient du temps mais étaient indispensables dès lors que l'on voulait échapper à la pitance sommaire à laquelle condamnent habituellement les joies du camping. Il commençait à faire sombre et j'ai allumé la lanterne empruntée à mon père. Nous avons réglé la radio sur une station de la bande FM pendant que nous mangions. Elle diffusait une émission spécialement consacrée aux groupes de rock anglo-américains aux noms à rallonge : les Red Hot Chili Peppers, Everything But The Girl, Africa Bambaataa & the Soulsonic Force...

Quand nous avons eu fini de manger, nous avons nettoyé la vaisselle avec du papier-toilette et mis les détritus dans un sac en plastique. Puis nous sommes montés dans la chambre du deuxième étage en nous éclairant de la lanterne. Peut-être parce que nous nous étions vus nus lorsque nous nous étions lavés, nous n'éprouvions plus la même gêne pour nous déshabiller l'un devant l'autre. Nous avions l'estomac calé, nous n'avions pas le cœur à la dépravation. Nous nous sommes adossés à la tête de lit et nous avons décidé de faire un test de vocabulaire anglais. L'un citait un mot japonais, l'autre devait donner sa traduction anglaise. Celui qui posait la question marquait un point si l'autre séchait, à condition de connaître la bonne réponse.

— « Superstition », proposa Aki.

— *Superstition*, ai-je répondu aussitôt.

— C'était trop facile.

— D'accord. Comment dis-tu « fécondation » ?

— « Fécondation » ?

Aki me regarda avec des yeux ronds.

— Tu ne sais pas ? *Impregnation*.

— Ah !

— C'est à ton tour.

— Comment dis-tu « compassion » ?

— *Sympathy*, dis-je du tac au tac. Ce n'est pas compliqué de se rappeler ces mots anglais commençant par « s » !

— Ce n'est pas si simple que ça. Mais toi, je reconnais que tu te débrouilles bien.

— Je m'en souviens grâce aux titres de chansons. Celles de Stevie Wonder et des Rolling Stones.

Nous avons continué à jouer.

— « Erection » ?

— Pardon ?

— Quel est le mot anglais pour « érection » ?

— Où vas-tu chercher tes mots ? D'abord « fécondation », maintenant « érection », on ne peut pas dire que tu m'interroges sur du vocabulaire de première nécessité ! s'emporta Aki.

J'ai fait de mon mieux pour rester imperturbable :

— *Impregnation*, en anglais, a un double sens puisque cela signifie aussi bien « imprégnation » que « fécondation ». Et *erection* peut aussi vouloir dire « construction », d'un monument par exemple. J'ai cité ce mot justement parce que je voudrais t'éviter de faire des contresens et que tu te méprennes quand on parle de l'érection de la statue d'un homme célèbre.

— D'où connais-tu toutes ces subtilités ? s'enquit-elle d'un air soupçonneux.

— J'ai regardé dans le dictionnaire.

— Comme par hasard tu as regardé à « fécondation » et à « érection » !

— Tu te trompes si tu crois que je suis obsédé.

— Je crois que je ne me trompe pas du tout.

Nous détestions nous disputer, si bien que nous nous sommes tus et avons regardé par la fenêtre. Il faisait nuit et on ne distinguait rien.

— A quoi bon apprendre par cœur ce vocabulaire anglais ? murmura Aki comme si elle se parlait à elle-même. Plus le nombre de femmes poursuivant des études augmente, plus les divorces se multiplient. Plus le niveau des études s'élève, plus on est malheureux. Tu ne trouves pas cela étrange ?

— Ce n'est pas parce qu'on a divorcé que l'on est malheureux.

Elle resta silencieuse un moment :

— La vie est bizarrement faite. Pourtant, on est sur terre pour être heureux. C'est pour être heureux qu'on étudie et qu'on travaille.

L'émission spéciale se poursuivait sur les ondes. On avait remonté le temps. La radio passait maintenant des morceaux de Quick Silver Messenger Service, Creedance Clearwater Revival, Big Brother & the Olding Company.

Quand la nuit était tombée, il s'était remis à pleuvoir. Les gouttes crépitaient contre les vitres et sur l'auvent de l'hôtel. Nous les entendions comme un fond sonore depuis le lit où nous étions allongés. Quand on fermait les yeux et que l'on se concentrait sur ce bruit, les odeurs prenaient une intensité nouvelle : on pouvait humer la pluie, la terre, les exhalaisons des plantes, l'âcreté de la poussière accumulée sur le sol et des tentures qui partaient en lambeaux. On avait l'impression d'être enveloppé de plusieurs couches d'odeurs.

Bien que nous soyons fatigués, nous n'avions pas envie de dormir. Nous nous sommes raconté à tour de rôle des histoires de notre enfance. Aki commença.

— Le dernier jour de l'école, à la fin de la maternelle, j'ai enterré dans la cour une espèce de capsule du temps. J'avais rassemblé un journal, une photo de classe, une page d'écriture. J'avais marqué ce que je voulais devenir quand je serais grande, ce que je rêvais d'être plus tard.

— Qu'est-ce que c'était ?

— Je ne m'en souviens plus, soupira-t-elle d'un air de regret.

— Que tu voulais te marier ?

— Peut-être, fit-elle avec un petit rire. Il faudrait déterrer la boîte et regarder.

Ce fut à mon tour de parler.

— Du temps où ma grand-mère était encore en vie, il y avait un kinésithérapeute qui venait régulièrement chez nous. Il avait la soixantaine. Il était aveugle de naissance. Un jour il s'adressa à moi ainsi : « Mon garçon, la pluie, est-ce qu'elle tombe sous forme de gouttes ou bien est-ce que ce sont des filets d'eau qui descendent du ciel ? »

Aki hocha la tête comme si sa curiosité avait été piquée :

— Qu'est-ce que tu as répondu ?

— Que c'étaient des gouttes. L'homme a répété : « Alors, ce sont des gouttes ! », en s'extasiant. « Depuis que je suis tout petit, je me pose cette question, est-ce que la pluie ressemble à des gouttes ou bien à des filets d'eau qui tombent du ciel, et grâce à toi j'ai enfin ma réponse ! »

— On a l'impression d'une scène du film *Cinema Paradiso*.

— Avec le recul, je trouve pourtant cet épisode assez étrange.

— Pourquoi ?

— Si pour lui c'était un tel mystère, je me demande pour quelle raison il n'avait pas songé à interroger quiconque plus tôt. Pourquoi laisser passer tout ce temps et attendre d'avoir soixante ans pour poser cette question, à moi, précisément ?

— Parce que tu te trouvais là et que cette question lui est subitement revenue. Tu lui as fait repenser à cette interrogation de son enfance.

— Autre hypothèse : il posait la même question dès qu'il pleuvait, au premier venu.

La pluie continuait à tomber.

— J'espère qu'on ne s'inquiète pas à notre sujet, souffla Aki.

— La police a peut-être déjà lancé un mandat de recherche.

— Qu'est-ce que tu as donné comme explication à tes parents ?

— Que j'allais faire du camping près de la maison d'un copain. Et toi ?

— Moi aussi. J'ai mis une copine dans le coup.

— On peut lui faire confiance, à cette copine ?

— Ce n'est pas sûr. De toute façon, je n'aime pas trop ce genre de combine. On est obligé d'importuner tout un tas de gens.

— Oui, tu as raison.

Aki se tourna sur le côté pour me faire face. Elle déposa un baiser sur mes lèvres.

— Nous n'avons pas besoin de précipiter les choses. Nous avons tout le temps pour être ensemble.

Nous sommes restés enlacés, les yeux fermés. Du sable crissait sous la serviette de bain qui faisait office de drap.

Lorsque j'ai ouvert les yeux en pleine nuit, la radio avait cessé de diffuser ses programmes. La lanterne que j'avais baissée au minimum était elle aussi éteinte. Je me suis glissé hors du lit pour fermer la radio. La chaleur dégagée par la lanterne stagnait dans la pièce. Quand j'ai ouvert la fenêtre, l'odeur de la marée, mêlée à l'air frais, s'est engouffrée à l'intérieur. L'aube était encore loin. La pluie avait cessé. D'innombrables étoiles scintillaient dans le ciel vidé de ses nuages. En raison peut-être de l'absence de luminosité parasite, elles paraissaient étonnamment proches, au point qu'il semblait qu'on aurait pu les toucher de la pointe d'une canne à pêche.

— On entend le bruit des vagues, murmura Aki.

— Tu es réveillée ?

Elle s'approcha de la fenêtre et regarda au-dehors. Par-delà la masse obscure de la mer, on apercevait les lumières de la terre au loin.

— Qu'est-ce que c'est, d'après toi ?

— Ce sont les lumières de Koike ou de Kokubo.

Nous entendions le grondement du ressac. En

s'abattant sur le rivage, les vagues soulevaient des galets qui s'entrechoquaient sourdement lorsqu'elles se retiraient.

— Tu n'entends pas un téléphone sonner ? demanda soudain Aki.

J'ai tendu l'oreille.

— C'est ma foi vrai.

J'ai pris la lampe torche qui était posée sur la table et nous sommes sortis. Le corridor était plongé dans le noir le plus total. Le faisceau éclaira faiblement le mur du fond. Il semblait qu'un téléphone sonnait dans l'une des chambres voisines. Nous nous sommes avancés sur la pointe des pieds. Le téléphone continuait de sonner. Cependant, nous avions beau nous rapprocher de la chambre, le bruit semblait toujours aussi éloigné.

La sonnerie a brusquement cessé. La personne qui appelait avait apparemment fini par raccrocher. Nous nous sommes regardés sans dire un mot. J'ai balayé l'obscurité à l'aide de la lampe. C'est à cet endroit que des vitres étaient cassées et que les branchages des arbres pénétraient à l'intérieur. Juste au-dessus de nos têtes, une grosse branche feuillue, enserrée de lianes, était suspendue. Lorsque je l'ai éclairée, un scarabée était en train d'en parcourir l'écorce.

Nous avons penché la tête au-dehors par la fenêtre. J'ai dirigé le faisceau de la lampe vers l'extérieur. Le flanc de la montagne était à quatre ou cinq mètres seulement du bâtiment. Aki murmura :

— Des lucioles !

J'ai scruté la nuit dans la même direction. Les herbes étaient piquées de petits points lumineux. Au début, je n'en ai vu qu'une seule mais, en observant bien, j'en ai distingué de-ci de-là et, en regardant mieux, je me suis aperçu qu'elles abondaient.

Des centaines de lucioles clignotaient parmi les herbes sauvages et les buissons. Elles restaient posées sur les feuilles puis s'élevaient en voletant, rejoignant deux ou trois autres insectes pour ensuite aller disparaître sous les herbes. Malgré leur grand nombre, elles ne produisaient aucun bruit. Leur essaim semblait se balancer dans le vent.

— Eteins la lampe, m'ordonna Aki.

Nous fûmes alors enveloppés, les lucioles et nous, par les mêmes ténèbres. L'une d'entre elles se détacha du groupe pour se diriger vers nous. La petite lueur se rapprocha lentement dans l'obscurité. Arrivée à la hauteur de l'auvent de la fenêtre, elle resta suspendue dans les airs. Je levai la main dans sa direction mais elle recula comme si elle était sur ses gardes et, semblant vouloir reprendre des forces, alla se poser sur une feuille de la grosse branche qui nous surplombait. Nous n'avons pas bougé. Elle s'est élevée à nouveau et s'est mise à faire le tour d'Aki avant de se poser doucement sur son épaule tel un flocon de neige. On aurait dit qu'Aki avait été élue par les lucioles. L'insecte clignota trois fois, comme s'il envoyait un signal.

Nous avons regardé la luciole en retenant notre souffle. Après avoir clignoté encore à plusieurs reprises, elle a quitté tranquillement l'épaule d'Aki. Cette fois, elle a regagné d'une traite la végétation où se trouvaient ses compagnes. Nous nous sommes efforcés de la suivre des yeux. Mais, ayant rejoint les autres, elle s'est mise à voleter au milieu d'elles et a fini par se fondre dans l'essaim lumineux.

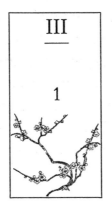

III

1

Peu de temps après notre retour de voyage scolaire, la maladie d'Aki fut diagnostiquée comme étant une anémie aplasique. Aki sembla se contenter des explications du médecin qui mettait en cause une insuffisance cellulaire de la moelle osseuse. Je n'avais moi non plus aucune raison de mettre sa parole en doute.

Afin d'éviter tout risque d'infection, il me fallut apprendre des infirmières le protocole d'habillage : revêtir la blouse et passer le masque mis à disposition dans un des casiers installés dans le couloir ; ôter mes chaussures et enfiler des chaussons spéciaux ; me désinfecter les mains à l'entrée de la chambre. C'est seulement après ces préparatifs que je pouvais entrer dans la pièce.

Quand elle me vit apparaître pour la première fois dans mon accoutrement, Aki éclata de rire depuis son lit.

— Tu n'es pas à ton avantage !

— Je n'y peux rien, répliquai-je, dépité. Ce n'est pas ma faute si ta moelle osseuse fait la grève du zèle et ne produit pas suffisamment de globules blancs. Voilà à quoi j'en suis réduit.

— Quoi de neuf au lycée ? fit-elle pour changer de sujet.

— Toujours pareil, soupirai-je d'un ton découragé.

— Les examens du premier semestre ne vont pas tarder.

— Il faut croire que oui.

— Tes révisions avancent ?

— Couci-couça.

— J'aimerais être déjà de retour en classe, murmura-t-elle en jetant un regard par la fenêtre.

Une infirmière passa la tête en entrebâillant la porte et demanda si tout se passait bien. Elle m'adressa un salut en souriant. Je n'allais pas tarder à être connu de presque toutes les infirmières du fait de mes visites quotidiennes. Les examens et les traitements avaient généralement lieu le matin, ce qui laissait une longue plage de tranquillité jusqu'au repas du soir.

— Elle s'assure que nous ne nous embrassons pas, chuchota Aki lorsque l'infirmière eut disparu. La surveillante l'a chapitrée à ce propos. C'est évidemment tentant lorsque l'on a son petit ami à portée de la main, mais il ne faut pas succomber parce que c'est le meilleur moyen d'attraper des microbes.

J'ai eu un instant la sensation physique que des bactéries grouillaient à l'intérieur de ma bouche.

— Ce n'est pas très ragoûtant.

— Tu n'as pas envie ?

— Pas spécialement.

— Tu sais, je m'en fiche pas mal.

— Mais si tu attrapes un microbe ?

— Près du lavabo, il y a un produit que j'utilise pour les gargarismes. Tu n'as qu'à faire un bain de bouche avant.

J'ai fait glisser le masque sous mon menton et me suis précautionneusement rincé la bouche avec la solution de polyvidone iodée. Je suis revenu m'asseoir sur le bord du lit en lui faisant face. Notre premier baiser m'est revenu en mémoire. Oser nous embrasser dans cette chambre stérile nous causait une tension plus vive encore que la première fois.

Nous avons furtivement joint nos lèvres.

— On sent le goût de l'antiseptique.

— Il ne faudra pas venir te plaindre si tu as un accès de fièvre cette nuit.

— Mais c'est agréable.

— Tu veux recommencer ?

Nos lèvres se sont touchées à nouveau. Dans nos blouses vert pâle qui ne se distinguaient guère des jaquettes d'hôpital dont on revêt les patients avant une opération, nous nous sommes donné ce baiser à l'arrière-goût de désinfectant comme si nous accomplissions un rite solennel.

— L'année prochaine, à la saison des pluies, nous irons voir les hortensias sur la colline du château, dis-je.

— Nous nous étions promis de le faire lorsque nous étions en quatrième, n'est-ce pas ? répondit Aki en plissant les yeux comme si elle scrutait au loin. Cela remonte à seulement trois ans mais j'ai l'impression que cela fait une éternité.

— Parce qu'il s'est passé plein de choses entretemps.

— C'est vrai.

Aki sembla se perdre dans ses pensées puis murmura :

— Encore plus de six mois à patienter.

— D'ici là, tu as le temps de guérir tranquillement.

— Oui, soupira-t-elle, les yeux dans le vague. Mais cela me paraît tellement éloigné. Si c'est effectivement le cas, il faudra absolument que je profite d'être en bonne santé pour y aller.

— Tu dis ça comme si tu n'étais pas sûre de te rétablir.

Plutôt que de me répondre, Aki se contenta de sourire tristement.

Un jour que j'allai à l'hôpital, je la trouvai endormie. Sa mère n'était pas à son chevet et elle était seule dans sa chambre. L'anémie lui donnait le teint blafard. Les rideaux de couleur crème étaient tirés. Les paupières closes, elle avait la tête légèrement tournée dans la direction opposée à la fenêtre, comme si elle cherchait à se soustraire à la lumière venant du dehors. Les rayons du soleil qui traversaient le tissu se reflétaient en dansant dans la pièce comme des ailes de papillon. Son profil aussi était illuminé. L'effet de clair-obscur jetait une ombre douce sur les traits de son visage. J'avais le sentiment de vivre un instant rare et je suis resté à la contempler. Tout à coup, je fus saisi par une vision d'angoisse. Il me sembla que la mort transparaissait sur sa peau à travers son sommeil paisible sous la forme d'une multitude de petits grains presque invisibles à l'œil nu. Quand on dessine et que l'on regarde de près le papier à dessin exposé à la lumière éclatante du soleil, la surface, loin d'être uniformément blanche, nous apparaît couverte de minuscules points noirs. C'est exactement la sensation que j'avais.

—Aki!

J'ai prononcé son nom. Je l'ai répété plusieurs fois. Elle réagit en bougeant légèrement. Puis elle eut un mouvement saccadé de la tête comme pour chasser quelque chose d'importun. Les petites taches qui lui parsemaient le visage s'effacèrent une à une. Le souffle de la vie anima à nouveau ses traits. Elle ouvrit les paupières comme un oiseau qui s'apprête à gazouiller.

—Saku'chan, murmura-t-elle, surprise.

—Comment te sens-tu?

—J'ai dormi un peu, je me sens mieux.

Elle se redressa dans son lit, mit sur ses épaules, par-dessus son pyjama, le cardigan qui était suspendu au dossier d'une chaise.

— J'ai eu un gros coup de déprime ce matin, souffla-t-elle, avec dans les yeux les traces de sa détresse. J'ai pensé que je mourais. Je me demandais : que va-t-il advenir si je dois être séparée de toi pour toujours ?

— Quelle idiotie ! Il ne faut pas penser à des choses pareilles.

— Tu as raison. Je crois que je me suis laissée aller.

— Tu en as marre de l'hôpital ?

— Oui.

Je me suis tu ; un silence de plomb s'est abattu sur nous.

— Je n'arrive pas à imaginer à quoi ressemblerait le monde sans moi, finit par articuler Aki comme si elle se parlait à elle-même. Il est difficile de se faire à l'idée que notre existence est limitée. C'est une chose évidente, mais dans la vie normale il y a tant de choses évidentes qu'on n'a pas besoin de ressentir comme évidentes.

— Tu ne devrais avoir que des pensées positives. Penser par exemple à ce qui se passera quand tu seras guérie…

— Penser par exemple à notre mariage ?

Au lieu d'appeler une réponse, le ton de la question était plutôt une façon de couper court à la conversation.

— Et si j'allais me rincer la bouche ? ai-je plaisanté au bout d'un moment afin de lui arracher un sourire.

Chaque fois que j'allais lui rendre visite, nous nous débrouillions pour échanger un baiser à l'insu des infirmières. Quant à moi, c'était devenu une manière de me prouver que j'existais. Dans la mesure où aucune fièvre ne se déclarait pour signaler une contamination, nous avions l'intention de continuer ce petit rite aussi longtemps que possible.

— Depuis quelque temps, c'est fou les cheveux que je perds quand je me lave la tête, me confia-t-elle un jour.

— Ce sont les effets secondaires du traitement ?

Elle acquiesça sans répondre.

Cédant à une impulsion, je lui ai pris la main. Je ne savais que dire dans de telles circonstances. Pour dissimuler mon embarras, j'ai affirmé :

— Tu sais, je continuerai à te trouver très séduisante même si tu es complètement chauve.

Elle fit les yeux ronds et me fixa :

— Tu ne parles pas sincèrement.

— Pas tout à fait, bafouillai-je.

Puis j'ai ajouté pour faire amende honorable :

— Dans le code des samouraïs, «franchement» voulait dire «d'un coup net».

J'avais à peine terminé de parler qu'Aki vint blottir son visage contre ma poitrine. Elle se mit à pleurer en gémissant comme un petit enfant. Complètement pris au dépourvu, hébété, je ne savais comment réagir. C'était la première fois que je la voyais pleurer. J'aurais été incapable de juger si cela était dû à l'instabilité émotionnelle causée par son état ou bien aux effets secondaires des médicaments qu'on lui administrait. Mais c'est à cette occasion que j'ai commencé à mesurer concrètement, d'une manière certes encore confuse, quel fardeau était la maladie.

Le visage d'Aki maigrissait à vue d'œil. Elle se sentait en permanence nauséeuse et ne pouvait plus avaler ses repas. Cette envie de vomir la tenaillait tout au long de la journée. Elle ne supportait plus la simple vue des aliments, sans parler de leur odeur. Le cliquetis des plateaux-repas sur le chariot dans le couloir suffisait à la rendre malade. Elle prenait un produit contre la nausée mais il ne faisait quasiment aucun effet. Je pouvais concevoir qu'on utilise des médicaments puissants, mais ce traitement semblait sans commune mesure avec celui d'une « anémie ». De quelle maladie s'agissait-il vraiment ?

J'ai consulté un dictionnaire médical à la rubrique « anémie aplasique ». « Maladie causée par la réduction de la production des cellules sanguines par la moelle osseuse », était-il indiqué. Cela concordait avec les explications que les médecins avaient données à Aki. La thérapie consistait en des transfusions sanguines répétées et en l'injection d'hormones stéroïdes. Machinalement, mon œil s'est arrêté sur la page suivante. Elle portait le titre « Leucémie ». Je me suis rappelé l'épisode de l'émission de radio lorsque j'étais en quatrième. Est-ce que par hasard Aki n'était pas en train de vivre dans sa chair la réalisation de cette mauvaise plaisanterie ? Je me suis empressé de chasser cette pensée absurde et me suis plongé dans la lecture de l'article. Mais de ce moment, je ne pus plus me défaire du remords d'avoir d'une certaine façon provoqué l'avenir.

Comme Aki le redoutait, ses cheveux ont commencé à tomber par petites touffes. Elle avait les cheveux longs et c'en était d'autant plus visible. A mesure que le traitement s'éternisait, elle était de plus en plus atteinte moralement.

— Tu ne peux pas savoir comme j'ai peur que le traitement ne marche pas. Les effets secondaires sont tellement terrifiants. Si les médicaments que je prends maintenant restent sans effet, rien ne viendra à bout de ma maladie.

— Avec les moyens dont on dispose aujourd'hui, il est impossible que tu ne t'en sortes pas, répondis-je en me remémorant l'article lu

dans le dictionnaire medical. En particulier s'agis-
sant d'une atteinte infantile.

— A dix-sept ans, on est encore un enfant ?

— Tu viens seulement d'avoir seize ans !

— Peu importe, je suis quand même à la limite
entre l'enfance et l'âge adulte.

— Eh bien alors, c'est cinquante-cinquante.

Les mots s'étranglèrent dans ma gorge.

— Si ça se trouve, ils sont en train de trouver le
traitement qui te convient.

— C'est possible, fit-elle d'un air dubitatif.

— Quand j'étais à l'école primaire, on m'a
hospitalisé à cause d'une pneumonie. Le traitement ne faisait aucun effet. Ils ont alors testé
plusieurs autres médicaments jusqu'à ce qu'ils
trouvent la formule efficace. Pendant ce laps de
temps, mes parents ont vraiment cru que j'allais
mourir.

— J'espère qu'il en sera de même pour moi, mais
je crains que mon corps ne tienne pas le coup d'ici
là.

— J'aimerais pouvoir prendre ta place.

— Si tu savais réellement ce que j'endure, tu ne
dirais probablement pas une chose pareille.

Ce fut comme si d'un coup de scalpel on avait
tranché dans le vif l'air de la pièce.

— Pardonne-moi ! murmura Aki d'une voix
blanche. En vérité, je devrais moins redouter
l'échec de mon traitement que de devenir aigrie à
cause de ma maladie. Qu'est-ce que je ferai si tu

finis par ne plus me supporter parce que j'ai changé et que je ne suis plus la même Aki ?

Le lendemain elle m'accueillit coiffée d'un bonnet de couleur pêche.

— Qu'est-ce que tu fais avec ce chapeau ?

Elle ôta le bonnet en riant malicieusement. J'eus le souffle coupé. Du jour au lendemain, ce n'était pour ainsi dire plus la même personne. Elle s'était fait couper les cheveux, mais plutôt que de les tailler court, on lui avait quasiment fait une coupe au bol.

— C'est moi qui ai demandé qu'on me les coupe comme ça. Ils repousseront quand le traitement sera terminé. Je leur redonnerai l'allure d'antan, mais là maintenant je n'ai pas le choix. Il faut que je m'accroche, que je me concentre sur ma guérison.

— C'est une bonne résolution.

— Si je perds tous mes cheveux, est-ce que tu cesseras de m'aimer ?

— Penses-tu, il n'y a aucune raison.

Aki ne dit pas un mot, comme si le ton que j'avais employé l'avait intimidée. Puis elle finit par lancer :

— Cela me fait penser aux bonzesses.

— Tu veux parler des religieuses ?

— Oui. Avant que je tombe malade, je me disais souvent que si tu devais mourir avant moi j'entrerais dans les ordres.

— Quelle drôle d'idée !

— Je ne peux pas imaginer me marier avec quelqu'un d'autre que toi, avoir des enfants, devenir mère, vieillir...

— Tu sais, c'est pareil pour moi. Je ne me vois pas me marier avec quelqu'un d'autre que toi, avoir des enfants, devenir père... C'est la raison pour laquelle il faut absolument que tu guérisses.

— Oui.

Elle se passa la main sur la tête d'un air timide.

— Je ne suis pas trop moche ?

Pendant la période qui suivit, la sensation de nausée s'estompa quelque peu. Peut-être parce que le corps d'Aki s'était habitué aux médicaments. Mentalement aussi elle eut une attitude plus positive ; elle s'était sans doute stabilisée psychologiquement. Elle n'était pas en mesure de prendre de vrais repas mais elle pouvait avaler des fruits en gelée, du jus d'orange, de petites quantités de pain. Elle fut même en état de lire des livres. Elle s'était prise de passion pour la vision du monde et le mode de vie traditionnel des aborigènes d'Australie.

— Avant de cueillir une plante, ils arrêtaient toujours la main au-dessus d'elle, m'expliqua-t-elle un jour pour me faire partager ses nouvelles connaissances. Cela leur laissait le temps de déterminer si la plante était encore en pleine croissance, et alors il était trop tôt pour la manger, ou bien si elle était parvenue à maturité, prête à transmettre la vie, et dans ce cas il était permis de s'en nourrir.

J'ai levé la main au-dessus du visage d'Aki.

— Celle-ci est encore en pleine croissance et il n'est pas encore permis de s'en nourrir.

— Mais c'est sérieux, ce que je te raconte.

— Les aborigènes, qu'est-ce qu'ils mangeaient d'après toi ?

— Des oiseaux, des poissons, des baies, des fruits, des plantes...

— Des kangourous, des lézards, des serpents, des crocodiles, des chenilles vertes...

— Où veux-tu en venir ?

— Je veux dire que si tu devenais aborigène, il ne serait plus question de déguster des flans ou des biscuits au chocolat...

— Pourquoi ne t'intéresses-tu qu'aux choses bassement matérielles ?

— Les aborigènes n'étaient certainement pas tous aussi bons que tu l'imagines.

J'entrepris de lui décrire ce que j'avais moi-même pu constater :

— J'en ai vu qui ressemblaient plutôt à des loques humaines complètement dépravées. Ils se mettaient à boire de l'alcool dès le lever du jour et passaient leur temps à quémander de l'argent aux touristes.

Aki s'emporta :

— Mais c'est fatal, ce sont des gens qui sont opprimés !

Elle resta enfermée dans son silence pendant un long moment.

Le problème n'était pas ce qu'étaient les aborigènes en réalité, ai-je pensé lorsque je suis sorti de l'hôpital. Leur mode de vie et leur mentalité représentaient un monde idéal, utopique, auquel elle aurait voulu appartenir et qui était né de son désir de donner un sens à l'épreuve qu'elle traversait.

— Pour eux, tout ce qui existe à la surface de la terre a une raison d'être, avait-elle déclaré à une autre occasion. Tout ce que l'univers contient a un but. Il n'y a pas de hasard, de mutations désordonnées. Mais cela dépasse notre entendement. L'homme n'a pas une sagesse suffisante pour comprendre quels sont les tenants et les aboutissants.

— Tu crois qu'il y a une raison même quand un nouveau-né naît anencéphale ?

— Qu'est-ce que c'est que ça ?

— Des bébés qui viennent au monde sans avoir de cerveau dans la boîte crânienne. Cela étant, j'ai entendu dire qu'il était question de transplanter leur cœur sur des bébés qui souffrent d'insuffisance cardiaque congénitale. Dans ce cas, il y aurait un sens à la naissance d'enfants anencéphales.

— Ce n'est pas ainsi que je l'entendais. Ce n'est pas parce que l'on utilise quelque chose qu'on comprend l'utilité de cette chose.

Son anémie ne s'améliorant pas, le visage d'Aki était toujours aussi livide. Elle continuait de recevoir des transfusions sanguines. Elle avait perdu presque tous ses cheveux.

— Est-ce que tu crois que la mort aussi a une raison d'être ? lui ai-je demandé un jour.

— Je crois que oui.

— Si la mort a une raison d'être, une finalité, pourquoi les hommes essaient-ils de l'éviter, alors ?

— Parce que nous n'en comprenons pas encore vraiment le sens.

— Une fois, nous avons parlé du paradis. Tu as dit que tu ne croyais pas au paradis ou à l'au-delà.

— Et alors ?

— Si la mort a un sens, il semblerait logique qu'il y ait un au-delà ou un paradis.

— Pourquoi ?

— Parce que si ce n'est pas le cas, alors la mort est la fin ultime. S'il n'y a rien après, la mort ne peut pas avoir de sens.

Aki se mit à regarder par la fenêtre. Elle semblait méditer mes paroles. A travers l'épais rideau des arbres de la colline, on apercevait la face blanche du donjon du château que survolaient des milans.

— Je crois que ce qui existe maintenant contient tout ce qui existe, avança-t-elle finalement en paraissant peser chacun de ses mots. Tout est là ; rien ne fait défaut. C'est la raison pour laquelle il est inutile de demander à Dieu de combler un manque ou bien de vivre dans l'attente de l'au-delà ou du paradis. C'est important de se rendre compte de cela.

Elle fit une pause puis reprit :

— C'est dur à expliquer mais je dirais que les choses qui ne sont pas là maintenant ne seront pas davantage là après la mort. En revanche, les choses qui sont là maintenant continueront d'exister même après.

— Tu veux dire que l'amour que je te porte, parce qu'il existe maintenant, continuera à exister même par-delà la mort ? ai-je avancé.

— Oui, c'est cela, acquiesça Aki. C'est ce que je voulais dire. C'est pour cela que ça ne sert à rien d'être triste ou d'avoir peur.

A travers les fenêtres du café qui se trouvait à l'intérieur de l'hôpital, on pouvait contempler le ciel chargé de lourds nuages bas et gris. Je faisais face à la mère d'Aki. J'étais quelque peu tendu. Le café dans les tasses posées devant nous avait refroidi.

Nous parlions de la pluie et du beau temps quand soudain Mme Hirose avait changé de sujet.

— A propos de la maladie d'Aki... Sakutaro... tu as déjà entendu parler de la leucémie ?

J'ai hoché la tête évasivement. Mon cœur s'est mis à battre à grands coups dans ma poitrine. J'ai eu l'impression que de l'alcool glacé circulait subitement dans mon système sanguin :

— Oui, je sais en gros de quoi il s'agit.

Elle porta un verre d'eau à ses lèvres.

— Tu t'en es peut-être aperçu, Aki souffre en fait d'une leucémie. Le traitement qu'elle suit en ce moment vise à éliminer les cellules malades. L'état nauséeux, la perte des cheveux, tous ces effets secondaires viennent de là.

Mme Hirose leva la tête comme pour épier ma réaction. J'acquiesçai simplement sans dire un mot.

— Grâce aux médicaments, il semble que les cellules malades soient en train d'être éradiquées. Selon le professeur, il est même possible que temporairement l'état d'Aki s'améliore suffisamment pour qu'elle puisse sortir de l'hôpital. Mais on ne peut pas espérer détruire toutes les cellules cancéreuses d'un coup. Il faudra répéter la chimiothérapie de nombreuses fois. Le délai jusqu'à la rémission complète est d'au moins deux ans, il peut aller jusqu'à cinq ans dans certains cas.

— Cinq ans ? n'ai-je pu m'empêcher de répéter.

Cette épreuve pouvait encore continuer pendant cinq ans...

— Nous avons consulté le professeur à ce sujet : pendant la phase où elle ira mieux et où elle sera sortie de l'hôpital, nous pensons aller avec elle en Australie. Cette enfant se faisait une telle joie de ce voyage scolaire auquel elle n'a pas pu se joindre... Cependant, pour consolider les effets du traitement, il lui faudra ensuite retourner à l'hôpital et se consacrer entièrement à sa guérison. Nous aimerions faire ce voyage avec elle avant cela.

Mme Hirose fit une pause et m'observa.

— Ce n'est qu'une idée et il faut te sentir libre, Sakutaro, mais je crois qu'Aki serait heureuse que tu nous accompagnes. Qu'en penses-tu ? Si de ton côté tu es d'accord, nous demanderons évidemment l'aval de tes parents.

— J'irai, répondis-je sans aucune hésitation.

— Bon, souffla Mme Hirose comme si elle était soulagée. Merci. Il ne fait pas de doute qu'Aki sera contente elle aussi. Pour le moment, il vaut mieux ne pas mentionner devant elle le nom de sa maladie. C'est aussi l'avis du professeur. Il est préférable de continuer à parler d'anémie aplasique. Bien sûr, un jour viendra où nous ne pourrons pas faire autrement que de lui révéler la nature véritable de son affection. Mais la lutte pour sa guérison s'annonce longue. Nous aimerions attendre le moment où le traitement sera en passe de réussir pour lui dire la vérité.

Après avoir fait des recherches dans l'ordinateur de la bibliothèque, j'ai consulté les uns après les autres tous les titres contenant des développements sur la leucémie. Quels que soient les ouvrages, la description de l'évolution de la maladie et de son traitement concordait parfaitement avec ce que j'avais observé chez Aki au cours du mois écoulé depuis son entrée à l'hôpital. Les effets secondaires qui s'étaient succédé provenaient de la chimiothérapie. Les produits utilisés pour détruire les cellules malignes s'attaquaient également aux globules blancs normaux, causant une extrême vulnérabilité aux infections par les germes ou les bactéries. Je compris rétrospectivement l'importance du protocole d'habillage. Dans un des livres, je lus que l'on recensait un pourcentage de cas de rémission de soixante-dix pour cent environ, parmi lesquels on comptait des exemples de rémission complète. Fallait-il comprendre que ceux-ci restaient rares ?

Jetant un coup d'œil vers le ciel sur le chemin qui me ramenait à l'école, je fus captivé par l'éclat des nuages d'un blanc immaculé qui voilaient le soleil hivernal. Je suis resté planté un long moment au milieu de la chaussée sans pouvoir détourner les yeux. Le souvenir des cumulo-nimbus lors de notre escapade sur l'île, l'été précédent, me revint à l'esprit. La peau blanche d'Aki, alors, son corps sain, tout cela avait brutalement reflué du passé. Je n'eus pas le loisir de m'éterniser sur mes pensées. Le tintement de la sonnette d'un vélo arrivant dans mon dos me rappela à moi. Lorsque je levai à nouveau les yeux vers le ciel, la luminosité avait varié et les nuages s'étaient assombris. Le temps passait atrocement vite. Le bonheur était comme ces nuages qui se transforment à chaque instant, passant du scintillement de l'argent à la grisaille de la cendre sans jamais se fixer dans un état, quel qu'il soit. Même les moments les plus lumineux de la vie n'étaient pas moins passagers qu'un caprice, pas moins éphémères qu'un jeu d'enfant. Ils s'évanouissaient avec la rapidité de l'éclair.

Je pris l'habitude de faire une prière avant de m'endormir. Je ne me posais pas la question de savoir si Dieu existait ou non. J'avais seulement besoin d'un interlocuteur du même genre vers qui me tourner à titre purement individuel. Au lieu d'une prière, il s'agissait plutôt d'une sorte de marchandage. Je cherchais à négocier quelque chose avec cet Etre dont les voies dépassaient la pénétration de l'entendement humain. S'il voulait bien sauver Aki, j'étais d'accord pour me sacrifier à sa place. J'étais tellement obnubilé par mon angoisse à son sujet que mon propre sort me paraissait sans importance. De même que la lumière du soleil occulte les planètes qui l'entourent.

J'avais beau chaque soir avant de m'endormir retourner ces pensées dans ma tête, faire ma prière, je me levais le matin en aussi bonne santé et Aki continuait d'être malade. Ses souffrances n'étaient pas pour autant devenues les miennes. Dans un sens, j'aurais pu dire que je souffrais avec elle, mais je ne faisais qu'imaginer à ma manière ce qu'elle endurait. Je n'étais pas Aki, je ne pouvais pas éprouver ce qu'elle éprouvait.

L'état physique d'Aki passait en permanence par des hauts et des bas. Son humeur oscillait en conséquence. Il arrivait qu'en plein milieu d'un échange animé, alors que nous prenions plaisir à converser, elle se rembrunisse soudainement et ne réponde plus que par bribes aux propos que je lui tenais. J'avais le sentiment de lui être devenu parfaitement inutile et le temps passé dans sa chambre me pesait dès lors comme une obligation pénible.

Me basant sur les connaissances acquises dans les ouvrages médicaux, je me demandais si elle n'était pas en train de mal réagir à la chimio-thérapie qu'on lui administrait. En cas d'échec de cette thérapeutique, on ne pourrait pas envisager de guérison sans recourir à une greffe de moelle osseuse.

Lorsqu'elle était dans de bonnes dispositions, nous discutions de l'Australie en feuilletant des guides de voyage. Mais nous restions l'un et l'autre sceptiques quant à la perspective d'y aller vraiment.

Les parents d'Aki n'avaient d'ailleurs plus jamais abordé la question concrètement.

— Pour qu'on me fasse subir un traitement aussi lourd, c'est que j'ai une maladie grave, murmura-t-elle un jour les yeux fermés, l'amertume sur le visage.

— C'est peut-être une maladie grave, mais s'ils t'infligent une telle thérapie, c'est précisément parce qu'il est possible de la guérir, rétorquai-je en m'efforçant de ne voir que le bon côté des choses malgré le sérieux de la situation. Si tu n'avais aucune chance de t'en sortir, ils éviteraient de te donner des médicaments trop agressifs.

Mais Aki resta indifférente à cet argument :

— Parfois, j'aimerais tellement sortir de cette chambre d'hôpital, plaida-t-elle. Chaque jour, je me dis que viendra un moment où je ne pourrai plus supporter ce traitement, et cela me fait affreusement peur.

— Oui, mais je suis là, je reste près de toi.

— Tant que tu es près de moi, ça va. Mais une fois que tu es parti, que j'ai pris le repas du soir et que l'heure d'éteindre la lumière approche, j'ai un tel sentiment de solitude que c'est intolérable.

La fièvre s'étant déclarée, il s'ensuivit une période pendant laquelle il ne me fut plus possible de lui rendre visite. La baisse du nombre des globules blancs était responsable de l'infection qu'elle avait contractée. Malgré les antibiotiques, la fièvre ne semblait pas vouloir tomber. Je commençai à nourrir des doutes sur l'efficacité de son traitement. Sa mère m'avait pourtant affirmé que, normalement, on constatait une amélioration après la première cure de chimiothérapie. Elle avait même évoqué ce projet de voyage. Or le fait qu'il ne soit plus question d'une sortie de l'hôpital était le signe que le processus menant à cette rémission provisoire ne fonctionnait pas comme prévu. La maladie d'Aki était-elle particulièrement réfractaire ou bien était-ce la méthode thérapeutique adoptée par les médecins qui était inadaptée ? Toujours est-il que son corps semblait sur le point de céder au milieu du traitement avant même d'avoir atteint au but.

— Peut-être que je suis fichue de toute façon, dit-elle lorsque je pus à nouveau revenir la voir quelque temps après.

A ses lèvres écarlates on devinait qu'elle était encore fiévreuse.

— Ce n'est pas vrai.

— C'est le sentiment que j'ai.

— Il ne faut pas te laisser abattre, ai-je martelé en élevant le ton sans m'en apercevoir.

— Toi aussi tu te mets à me gronder, murmura-t-elle en baissant les yeux.

— Mais personne ne te gronde, me suis-je défendu.

Puis je me suis ravisé.

— Est-ce qu'il y a des gens qui te grondent ?

— Tout le monde. « Il faut que tu sois plus

courageuse », « il faut tout manger », « il faut prendre des forces ». Si je dis que j'ai la nausée, on me répond que c'est parce que je n'ai pas pris le médicament. Mais si j'ai envie de vomir, je ne peux pas l'avaler, leur médicament.

A ce stade, je crois qu'Aki savait de quelle maladie elle était atteinte. Même si personne ne le lui avait dit, elle avait fini par le comprendre d'elle-même.

— Je n'arrive toujours pas à imaginer ma propre mort. Et pourtant la mort peut surgir d'un moment à l'autre devant moi.

— Pourquoi est-ce que tu tiens absolument à voir les choses sous un angle négatif ? ai-je déploré à voix basse.

— Ce matin, on m'a expliqué les résultats de mes dernières analyses de sang, répondit-elle comme si elle entreprenait de justifier à tout prix son pessimisme. Il reste encore des cellules mauvaises que nous allons éradiquer à l'aide des médicaments, m'ont-ils annoncé. Les cellules mauvaises, ce sont sûrement des cellules cancéreuses...

— Tu as posé la question aux médecins ?

— Non, cela me fait peur, je n'ose pas demander.

Elle continua de parler tout en restant absorbée dans ses pensées.

— Bien qu'ils aient utilisé toutes sortes de produits, ils ne sont pas arrivés à détruire la totalité des mauvaises cellules. S'ils veulent en venir à bout, ils n'ont pas d'autre solution que d'employer des médicaments encore plus forts. Or je ne pourrai pas en supporter davantage. Si cela continue comme ça, je ne mourrai pas à cause de la maladie mais à cause des médicaments.

— A mon avis, la question n'est pas de savoir si les médicaments sont plus ou moins forts mais s'ils sont plus ou moins adéquats compte tenu de ta maladie. Donc ce n'est pas parce qu'ils utiliseront un autre type de produit que les effets secondaires seront plus importants.

— Tu as peut-être raison.

Aki réfléchit un moment puis poussa un soupir empli d'indécision.

— Hier j'étais encore pleine de confiance. J'étais sûre de me rétablir. Aujourd'hui, j'ai l'impression que je n'aurai même pas la force d'aller jusqu'au bout de la journée de demain.

Au retour de l'hôpital, sur le chemin de la maison, l'idée que je pourrais perdre Aki se mit à s'infiltrer dans mon cerveau comme de l'encre noire. J'ai alors été pris d'un désir soudain : partir tout de suite, sur-le-champ. Aller très loin, dans un endroit où il serait possible de tout oublier. J'étais en train de parcourir seul le chemin que nous empruntions tous les deux ensemble encore quelques mois auparavant. Le pressentiment que je ne referais plus jamais ce trajet avec elle se précisait dans mon esprit comme une fatalité que j'étais bien en peine de récuser.

155

Les effets secondaires des nouvelles drogues que l'on commença à utiliser se révélèrent particulièrement agressifs. Au moment où les nausées semblaient se calmer, survinrent des inflammations de la bouche causant des plaies qui l'empêchaient de prendre ses repas. Il fallut à nouveau recourir à l'alimentation par voie intraveineuse.

— Tout est bien ainsi, murmura-t-elle comme pour elle-même.

— Qu'est-ce qui est bien ainsi ?

— Que je guérisse ou pas. J'ai décidé de me mettre à l'école des aborigènes et de leur façon de vivre. Puisque tout ce qui existe a une raison d'être, je suis sûre que ma maladie a un sens.

— Si la maladie existe, c'est pour que l'homme apprenne à la surmonter et devienne plus fort.

— Tout est bien ainsi, répéta-t-elle en fermant les paupières avec sérénité. Je suis épuisée. De lutter contre la douleur, de sans cesse penser à ce qui m'arrive. Je voudrais m'enfuir avec toi vers un pays où la maladie n'existe pas.

Elle avait formulé ce vœu sans croire un seul instant aux paroles qu'elle prononçait. Ce fut pourtant précisément cela qui déclencha chez moi l'impulsion de franchir le pas.

— Un jour viendra où nous partirons tous les deux, ai-je déclaré.

Aki rouvrit les yeux pour me fixer d'un air interrogateur. Je pouvais lire dans son regard la question qui lui brûlait les lèvres : « Partir où ? »

A dire vrai, je n'en avais aucune idée moi-même. Je n'avais fait qu'exprimer un vague désir de fuir la réalité. Mais sitôt ces mots prononcés, ils exercèrent sur moi leur emprise. Je sentis que cette phrase que j'avais dite sans y penser était le fil rouge qui devait me guider vers l'avenir.

— Je vais me débrouiller pour que tu sortes d'ici avec moi, insistai-je. Que ce soit le moment ou pas, on le fera quand même.

— Comment ? demanda Aki d'une voix rauque.

— Il faut que je trouve une astuce. Je ne veux pas connaître le sort de mon grand-père.

— De ton grand-père ?

— Je ne veux pas avoir à demander à mon petit-fils d'aller saccager ta tombe.

J'ai discerné une hésitation dans son regard, que je me suis empressé de dissiper en donnant un tour concret à la conversation :

— Nous irons en Australie. Là-bas, il ne sera pas question que tu meures seule.

Elle a baissé les paupières pour réfléchir. Puis les a relevées, m'a fixé droit dans les yeux et m'a fait comprendre d'un petit signe de la tête qu'elle était d'accord.

5

Aki s'affaiblissait de jour en jour. Presque tous ses cheveux étaient tombés. Son corps était marqué çà et là de petites taches bleuâtres formées par les ecchymoses. Elle avait les mains et les pieds enflés. Il n'était plus temps d'hésiter. Je me mis à préparer fiévreusement le projet de voyage en Australie. Je rassemblais de la documentation, étudiais les modalités pratiques. Heureusement, grâce au voyage scolaire, mon passeport et le visa d'admission étaient toujours valides. J'avais d'abord songé à nous inscrire dans un voyage organisé avec un accompagnateur local. Cela me semblait l'option la plus sûre et la plus fiable. Mais les formalités d'inscription étaient particulièrement complexes et il ne serait pas possible de partir immédiatement. De plus, il était indiqué qu'une autorisation parentale était obligatoire pour les moins de vingt ans.

Il convenait également de bien réfléchir avant d'acheter les billets d'avion. Compte tenu du fait que l'un de nous deux était gravement malade, il aurait été imprudent de prendre un vol à tarif réduit. Or un billet sur un vol régulier revenait à quatre cent mille yens. Il n'était pas facile non plus de s'avancer sur une date pour notre départ. On ne pouvait tout de même pas consulter à ce sujet le professeur qui suivait Aki ! Mais comment prévoir dans quel état celle-ci se trouverait dans un délai d'une ou deux semaines ?

— Je veux partir le plus vite possible, insista Aki. Je suis sûre que ma nausée disparaîtra dès que j'aurai arrêté les piqûres et la perfusion. Je sens que mon corps est en train de lâcher. Je veux partir tant qu'il me reste encore un peu de forces.

Après toutes sortes de recherches, j'arrivai à la conclusion que l'option la plus réaliste était d'utiliser le tarif PEX proposé par les compagnies aériennes australiennes. Dans ce cas de figure, le prix du billet s'élevait à deux cent quatre-vingt mille yens par personne. Moyennant le paiement d'une commission modique, il était possible d'annuler son départ jusqu'au dernier moment. Si nous ne pouvions pas partir au jour dit, il était toujours possible de se faire rembourser les billets et d'attendre la prochaine occasion. En outre, grâce au système informatisé de réservation, on pouvait savoir instantanément quelles étaient les disponibilités sur chaque vol.

Finalement, le principal problème était l'argent. Car il fallait payer les billets au moment de la réservation. J'avais environ cent mille yens d'économie, ce qui était loin d'être suffisant. Comment réunir le reste de la somme, à court terme de surcroît ? Je ne voyais qu'une solution.

— Cinq cent mille ? répéta mon grand-père en faisant les yeux ronds.

— S'il te plaît. Je te les rendrai en travaillant.

— Mais c'est une vraie fortune ! Tu en as besoin pour quoi faire ?

— Il ne faut pas m'en demander la raison. Prête-moi seulement cet argent, je t'en prie.

— Est-ce que c'est une façon de faire ?

Mon grand-père versa du bordeaux dans deux verres, en avança un vers moi puis me sermonna d'un ton bienveillant :

— Sakutaro... Tu connais mon secret. Je t'ai confié mes dernières volontés. Et malgré cela, tu refuses de me révéler ton secret ?

— Je sais, ce n'est pas bien. Mais c'est la seule chose que je ne peux pas te dire.

— Pourquoi ?

— La personne que tu aimais est décédée. Tu peux en parler puisqu'elle est disparue. Mais ce n'est pas possible de compromettre une personne qui vit encore.

— Alors il s'agit d'une affaire de cœur ?

— Ce n'est pas vraiment une affaire de cœur.

A peine avais-je prononcé ces paroles que l'émotion que je m'efforçais de contenir déborda comme si une digue avait cédé. J'éclatai en sanglots. Mon grand-père était désemparé. J'ai pleuré longtemps.

160

Puis j'ai bu une gorgée de vin. Mon grand-père n'a plus dit un mot. Nous avons simplement fini nos verres en silence.

Je me suis endormi sur le canapé sans m'en rendre compte. Lorsque j'ai ouvert les yeux, j'étais enveloppé dans une couverture. Il était presque onze heures.

— Ta mère a appelé, dit mon grand-père en levant le nez du livre dans lequel il était plongé. Elle était inquiète. Est-ce que tu restes dormir ce soir ?

— Non, je rentre, répondis-je encore ensommeillé. Il y a école demain.

Mon grand-père me dévisagea longuement d'un air pensif. Puis il se leva, se rendit dans la pièce voisine et en revint avec un livret de caisse d'épargne qu'il déposa sur la table.

— Le nom du compte est « Veille de Noël ».

— Le jour de ma naissance ?

— En fait, je pensais te le remettre pour ton entrée à l'université. Mais il faut savoir s'adapter aux circonstances. J'ignore ce que tu t'apprêtes à faire. Je ne veux pas le savoir, si tu ne veux pas me le dire. La seule chose dont je voudrais être sûr, c'est que tu le feras, parce que sinon tu aurais trop de regrets après.

J'ai acquiescé en silence. Mon grand-père a lancé alors d'un ton décidé :

— Puisqu'il en est ainsi, tu peux l'emporter. Je te le donne. Il doit y avoir pas loin d'un million de yens.

— Tu es bien certain ?

— Sakutaro, l'important est d'agir en conscience. De ton côté, rappelle-toi que, dans cette affaire, tu n'es pas seul en cause.

J'ai continué à prendre des renseignements concernant l'Australie. J'ai lu des guides, j'ai rendu visite à des agences de voyages, j'ai demandé des précisions par fax à des offices du tourisme. J'ai saisi une occasion où ses parents n'étaient pas dans la chambre pour faire part à Aki de mes préparatifs.

— J'ai des billets d'avion pour le 17 décembre prochain.

— Le jour de mon anniversaire ?

— J'ai pensé que c'était une date particulièrement propice.

Elle a ri et dit « Merci » d'une voix faible.

— Le départ est le soir, tard. Il faudra sortir d'ici en fin d'après-midi. Mais comme c'est l'heure à laquelle on sert le dîner, je crois qu'il sera moins difficile de se glisser hors de l'hôpital. On prendra un taxi jusqu'à la gare, il suffira de monter dans le train et le tour sera joué.

Aki ferma les yeux et sembla se représenter par avance les événements.

— Nous dormirons dans l'avion. Nous arriverons à Cairns le lendemain matin. Nous trouverons un endroit où nous reposer. Après, nous prendrons un vol intérieur pour Ayers Rock. Dans le centre touristique, il y a des hôtels avec des bungalows. On pourra y séjourner pour pas trop cher. On pourra rester autant de temps que l'on voudra.

— Je finis par croire que je peux vraiment y aller, murmura Aki en rouvrant les yeux.

— Mais tu peux y aller. Je t'ai fait la promesse que nous irions ensemble.

J'ai retiré l'argent sur le compte de mon grand-père et je suis allé acheter les billets d'avion dans une agence de voyages. J'ai également souscrit un contrat d'assistance pour les séjours à l'étranger. A ma grande surprise, le plus compliqué fut de me procurer des dollars australiens. Rares étaient les banques qui les échangeaient. Je n'aurais évidemment rencontré aucun problème dans la succursale d'une banque australienne ou néo-zélandaise, mais il n'y en avait pas une seule dans la ville où j'habitais. J'ai appelé toutes les banques les unes après les autres jusqu'à en dénicher une dans laquelle il me fut possible d'acheter des traveller's checks.

Un seul problème, de taille, restait à résoudre : comment entrer en possession du passeport d'Aki ?

— Il est bien sûr impossible de demander à quelqu'un de me le rapporter.

— Si tu avais eu un frère ou une sœur, cela aurait été plus commode.

Aki était enfant unique, comme moi. Son passeport était normalement dans un tiroir de son bureau. Comme elle ne s'en était pas servie récemment, il devait s'y trouver encore. J'étais souvent allé chez elle. Si seulement je pouvais à nouveau m'introduire dans sa maison, il me serait facile de mettre la main dessus. Nous avons d'abord cherché un motif justifiant une visite de ma part mais avons été incapables de trouver un prétexte crédible.

— La seule solution est d'aller le dérober, proposai-je.

— A vrai dire, je ne vois vraiment pas le moyen de faire autrement.

— Le seul problème est de parvenir à pénétrer à l'intérieur.

— Je peux te dessiner le plan de la maison.

Elle fit le croquis dans un carnet puis me donna des instructions pour mon cambriolage.

— On a l'impression que tu as fait ça toute ta vie, ai-je plaisanté en me tournant vers elle.

— Je suis désolée, répondit-elle piteusement.

— J'ai hâte de retourner parmi les lycéens honnêtes !

Le jour suivant, après avoir rendu visite à Aki, j'ai tué le temps dans le café qui se trouvait en face de l'hôpital, guettant l'arrivée de son père après son travail. Le café occupait le premier étage d'un bâtiment donnant sur l'avenue et je pouvais aisément surveiller le parking depuis les chaises placées près des fenêtres. Je connaissais la voiture de M. Hirose et il était peu probable que je le manque.

J'ai attendu pendant presque une heure avant de le repérer passant le portail d'entrée pour aller se garer. Il n'était pas loin de sept heures. J'ai attendu pour quitter le café de le voir sortir de sa voiture.

J'ai alors foncé à vélo vers la maison d'Aki. Il s'agissait d'une vieille bâtisse en bois datant de l'époque de son grand-père. Depuis le vestibule, il fallait passer derrière un paravent pour accéder à un escalier aux marches grinçantes qui descendait à sa chambre. Celle-ci avait vue sur un étang. Quand on passait par le devant de la maison, on avait l'impression de descendre au sous-sol, mais la pièce était de plain-pied avec le jardin de derrière. Pour s'adapter aux différences de niveau du terrain, on est parfois contraint de concevoir des architectures compliquées qui aboutissent à ce genre de paradoxe. Suivant l'itinéraire qu'Aki m'avait indiqué, il me fallait franchir la haie qui bordait le jardin et forcer la porte d'une remise située à côté de l'étang. Au fond de la remise, derrière une armoire, il y avait un passage qui débouchait sur un débarras qui faisait partie du bâtiment principal. Là, on était juste derrière sa chambre.

Je n'eus aucun mal à pénétrer dans la remise car la serrure était hors d'usage. Il ne me fut pas non plus trop difficile de déplacer la vieille armoire. Comme elle me l'avait recommandé, je me suis frayé un passage en poussant de côté les objets qui encombraient. Je me suis enfin trouvé derrière la chambre qui m'était familière. J'ai fait glisser doucement la cloison coulissante. L'obscurité la plus totale régnait dans la pièce. Un parfum nostalgique se mêlait à une légère odeur de moisi. J'ai allumé la lampe torche dont je m'étais muni et j'ai fouillé dans son bureau. Je n'ai pas tardé à trouver son passeport. En refermant le tiroir, mon attention a été attirée par un petit galet posé sur le bureau. Je l'ai gardé longtemps dans ma main et il s'est réchauffé au contact de ma paume. Est-ce qu'Aki faisait parfois de même, serrait ce galet dans sa main ?

J'ai entrouvert le rideau. Par la fenêtre opaque, on apercevait l'étang. Lorsque le lampadaire du jardin était allumé, on voyait que les carpes y pullulaient. Je me souvenais que nous étions restés à les contempler ensemble. Nous avions observé en silence leur placide ballet aquatique. J'ai refermé le rideau et jeté un nouveau coup d'œil dans la chambre. Une armoire de style occidental se dressait du côté opposé à la fenêtre. Elle m'avait dit que je trouverais un livret d'épargne dans le tiroir du dessus. Il devait contenir l'argent qu'elle avait mis de côté pour le voyage scolaire et auquel elle n'avait pas touché. Cependant, au lieu d'ouvrir ce tiroir, j'en ai tiré un autre. Ses corsages et ses tee-shirts y étaient soigneusement empilés. J'en ai pris un au hasard. J'y ai enfoui mon visage. Il s'en exhalait une odeur de lessive. Mais j'y ai senti aussi, à peine perceptible, son odeur à elle.

Il s'était déjà écoulé un bon moment depuis mon arrivée. Je me rendais bien compte qu'il était temps de repartir, mais mon corps ne réagissait pas. J'aurais voulu continuer ainsi : prendre chaque chose dans ma main, la frôler avec ma joue, la flairer. L'odeur d'Aki qui demeurait dans la pièce troublait le dépôt que le temps avait laissé en moi. J'ai été entraîné pendant un instant dans un tourbillon euphorique vertigineux. J'étais la proie d'une joie suave qui faisait frémir chacune des minces parois de mon cœur. Je revivais l'émotion de notre premier baiser, de la première fois où nous nous étions enlacés. Mais l'instant d'après, ce tourbillon de lumière fut englouti dans un abîme obscur, absolument silencieux. Je suis resté figé sur place, frappé de stupeur, un de ses vêtements à la main. J'étais sous l'empire d'une étrange perception du temps. J'étais victime d'une hallucination : c'était comme si Aki avait déjà disparu et que j'étais entré dans cette pièce pour faire l'inventaire des objets qu'elle laissait derrière elle. Cette impression était à la fois très bizarre et très vive. J'étais en quelque sorte en train de me remémorer l'avenir ou, si l'on veut, j'avais une sensation de déjà-vu par anticipation. C'est en faisant un effort sur moi-même pour m'arracher à l'odeur d'Aki qui imprégnait chaque particule que j'ai quitté sa chambre.

Je lui ai annoncé que j'étais parvenu à me procurer son passeport sans encombre.

— Il ne suffit plus que de partir, dit-elle calmement.

— Je crois que nous sommes au bout de nos peines, en effet. Il me reste à procéder à quelques menus achats, à faire les bagages et nous serons prêts.

— Je te cause bien des soucis, Saku'chan.

— Qu'est-ce que tu dis là !

— Tu sais, j'imagine parfois de drôles de choses, poursuivit-elle en s'absorbant dans ses pensées. Je suis peut-être malade ; je suis effectivement malade, mais comme je pense à toi même pendant mon sommeil, comme j'ai l'impression d'être toujours avec toi, c'est comme si je n'étais pas malade.

J'ai ravalé l'émotion qui m'envahissait.

— Pourtant tu ne cesses pas de te plaindre de ne pas pouvoir manger.

— C'est vrai ! s'exclama-t-elle en souriant. Mais maintenant, j'ai vraiment un sentiment étrange. J'ai la tête pleine de ma maladie, et je n'arrive pas à l'analyser de façon cohérente. Je conçois bien que j'en sois arrivée à un tel désir de m'enfuir, c'était inéluctable. Or, je ne sais plus ce que je veux fuir.

— Il ne s'agit pas de fuir, il s'agit de partir.

— Si tu veux, concéda-t-elle pour la forme en fermant les yeux. En ce moment, je te vois souvent en rêve. Est-ce que toi aussi tu me vois en rêve de temps en temps ?

— Je te vois en vrai chaque jour, je n'ai pas besoin de rêver de toi.

Aki rouvrit les yeux posément. Son regard ne trahissait ni peur ni anxiété. Il était tranquille, comme les eaux d'un lac niché au cœur d'une profonde forêt. Elle me demanda alors, sans changer d'expression :

— Qu'est-ce qui se passerait si tu ne me voyais plus en vrai ?

Je n'ai pas répondu. Je ne pouvais pas répondre. J'étais dans l'incapacité d'imaginer une telle éventualité.

Le service du dîner débutait à six heures. Les visiteurs étaient priés de regagner la sortie. Les chariots contenant les plateaux-repas étaient alignés dans les couloirs. Les malades allaient chercher un plateau et retournaient manger dans leur chambre. Certains se rendaient jusqu'à la bouilloire mise à leur disposition dans la salle commune pour remplir de thé leur bol ou leur théière. Nous avions décidé de mettre à profit ce remue-ménage.

Dans un premier temps, après ma visite de l'après-midi à Aki, j'étais allé patienter au café en face de l'hôpital. Ensuite, Aki, qui avait enfilé un cardigan par-dessus son pyjama, s'était glissée parmi le flot des visiteurs qui se pressaient à la sortie de l'établissement. Elle portait son bonnet de laine habituel. Je suis sorti du café. J'ai hélé un taxi qui descendait l'avenue. Elle arrivait juste à ce moment-là. Au chauffeur de taxi qui nous considérait avec méfiance, j'ai indiqué notre destination.

— Tout s'est bien passé ?

— J'ai fait semblant d'aller donner un coup de téléphone et j'ai pu me faufiler à l'extérieur.

— Comment te sens-tu ?

— Je ne peux pas dire que je me sente au mieux.

J'avais déposé nos affaires dans un casier de la consigne automatique de la gare. Il s'agissait d'un grand sac et de deux petits bagages à main. S'y ajoutaient des vêtements pour Aki, que j'avais rassemblés dans un sac en papier. Tout cela ne tenait pas dans un seul casier et j'avais dû en répartir une partie dans un deuxième. Regroupés, les bagages étaient assez encombrants.

— Il faut que tu te changes d'abord, ordonnai-je à Aki vêtue de son pyjama. J'ai rassemblé là-dedans une tenue complète, tu n'as qu'à aller t'habiller.

— C'est toi qui as réunis tous ces vêtements ?

— J'ai récupéré le corsage et le tee-shirt dans ta chambre. Le blouson et le jean sont à moi. Ils risquent d'être un peu grands pour toi.

Aki revint bientôt des toilettes habillée de pied en cap.

— Ça ne te va pas trop mal ! m'exclamai-je.

— Je sens ton odeur, fit-elle en respirant la manche de mon blouson.

— J'ai peur que tu n'aies pas bien chaud mais cela ira déjà mieux quand nous serons dans le train. Prends ton mal en patience, en Australie c'est le début de l'été !

J'avais acheté les billets de train à l'avance. Nous les avons compostés et nous nous sommes dirigés vers le quai. J'étais sur des charbons ardents. Il me semblait que les parents d'Aki pouvaient surgir à tout moment pendant que nous attendions l'entrée du train en gare. Celui-ci a fini par arriver. Nous sommes montés à bord et nous nous sommes installés à deux places libres. J'avais le sentiment d'avoir mené à bien une tâche écrasante.

— J'ai l'impression d'être dans un rêve.

— Sauf que ce n'est pas un rêve !

J'ai déballé de sa boîte un gâteau d'anniversaire que j'étais passé acheter à ma sortie de l'hôpital. Il était petit mais joliment décoré.

— C'est pour moi ?

— J'ai même prévu les bougies. La plus grosse équivaut à dix années.

J'ai déposé le gâteau sur les genoux d'Aki et planté les bougies : la plus grosse au milieu, les sept autres tout autour.

— Cela fait plein de trous, ai-je plaisanté.

Elle a souri sans dire un mot. J'ai allumé les bougies à l'aide d'un briquet jetable. L'odeur a attiré l'attention des passagers sur les sièges voisins qui se sont retournés d'un air soupçonneux.

— Joyeux anniversaire !

— Merci !

La flamme des bougies se reflétait dans la fenêtre obscurcie par la nuit.

— Il faut souffler maintenant.

Aki porta le gâteau à hauteur de son visage et expulsa un peu d'air par la bouche. Une première fois, puis une deuxième, sans succès. A la troisième tentative, les huit bougies s'éteignirent. Ce simple effort semblait l'avoir épuisée.

— Je n'ai pas de couteau, alors on le mangera sans le couper.

Je lui ai tendu une petite cuiller en plastique transparente. C'était de ce genre de cuiller qu'elle se servait pour manger ses flans. J'ai avalé ma part du gâteau en partant scrupuleusement du bord jusqu'à la moitié. Aki n'en mangea qu'un peu, du bout des dents, puis s'en désintéressa.

— C'est vraiment bizarre, non ?

— Quoi donc ?

— Que tu sois née un 17 décembre et que tu t'appelles Aki.

Elle me regarda avec un air de profonde incompréhension. J'ai poursuivi :

— Aki signifie « automne ». Compte tenu de ta date de naissance, il aurait été plus logique que tes parents composent un prénom à partir du mot « hiver ».

— Saku'chan, tu croyais que mon nom s'écrivait comme « automne » ?

Nos regards se sont involontairement croisés. La surprise se peignait sur son visage :

— Tu te trompes complètement.

— Ce n'est pas ça ?

— Mon nom est inspiré du mot qui veut dire « crétacé[1] ». C'est une période de l'ère secondaire qui a vu apparaître et se développer de nombreuses espèces animales et végétales. Les familles de dinosaures se sont multipliées, les fougères foisonnaient... On m'a donné ce nom en formant le vœu que je prospérerais à l'image de ces êtres vivants.

— Croître et embellir comme les dinosaures...

— Tu ne savais donc pas ?

— J'étais convaincu que tu t'appelais d'après le nom de la saison où l'on récolte le riz.

— A l'école, sur les listes d'élèves, tu as bien dû voir que cela s'écrivait différemment.

— Je ne m'en suis jamais rendu compte. La première fois que je t'ai rencontrée, ton nom m'a plutôt évoqué les saveurs de l'automne...

— Quelle imagination ! s'exclama-t-elle en riant. Mais ça ne me gêne pas que tu aies interprété mon nom ainsi. Il n'a cette signification qu'entre nous. Pourtant, c'est drôle, cela me procure la sensation d'être quelqu'un d'autre.

---

1. Haku-Aki en japonais. (*N.d.T.*)

Le train à destination de la ville où était situé l'aéroport s'arrêtait à chaque station sur le trajet. La dernière fois que nous étions montés dans ce train, c'était lors de notre visite au zoo, au cours du mois de mai précédent. A l'époque, notre voyage avait un but. Il en avait un cette fois-ci aussi, après tout. Mais je n'étais plus certain que ce but était quelque part sur la terre.

— Je m'aperçois à l'instant d'une chose importante.

— Quoi donc ? dit-elle d'un air las en détournant le regard de la fenêtre.

— Ton anniversaire tombe le 17 décembre.

— Oui, et le tien, le 24 décembre.

— Justement. Depuis le jour de ma naissance, il ne s'est pas écoulé une seconde sans que tu sois là.

— Certes.

— Le monde dans lequel je suis né était un monde où tu existais déjà.

Elle fronça les sourcils d'un air perplexe. J'ai continué :

— Je ne sais pas ce que c'est qu'un monde où tu n'existes pas. Je ne sais même pas si un tel monde peut exister.

— Je ne vois pas le problème. Si je disparais, le monde ne s'arrêtera pas de tourner.

— Tu ne peux pas comprendre.

J'ai regardé par la fenêtre. Il faisait nuit noire. On ne distinguait rien. Seul le petit gâteau posé sur la tablette relevée entre nous se reflétait dans la vitre.

174

— Saku'chan ?

— En fait, je n'aurais jamais dû écrire ces mots, ai-je lâché comme pour couvrir sa voix. Tout ça, c'est à cause de cette carte. C'est moi qui suis la cause du malheur qui t'arrive.

— Cela me rend triste que tu dises une chose pareille.

— C'est moi qui suis triste.

J'ai à nouveau tourné la tête vers la fenêtre. On ne voyait rien. Ni passé, ni futur... Le gâteau entamé faisait penser à un rêve inabouti.

— J'attendais que tu viennes au monde, déclara Aki doucement au bout d'un moment. J'étais toute seule et je t'attendais dans ce monde où tu n'existais pas.

— Ton attente a duré une semaine. Moi, combien de temps vais-je devoir vivre dans un monde où tu ne seras plus ?

— Ce n'est pas une question de durée, répondit-elle sobrement. Le temps que j'ai passé avec toi a été très court mais très intense. Je ne crois pas qu'il soit possible d'être plus heureux. Personne sur la terre n'a été plus heureux que moi. Jusqu'à cet instant encore... C'est pourquoi il ne sert à rien d'en demander plus. Tu te souviens, nous avions eu une discussion à ce sujet. Je t'avais dit que ce qui est là maintenant continuera d'exister éternellement, même après ma mort.

J'ai poussé un long soupir :

— Tu renonces trop au désir.

— Mais non, au contraire. Tu ne peux pas savoir comme je suis avide. Loin de moi l'idée de laisser ce bonheur s'échapper. J'ai la ferme intention de le garder près de moi tout le temps, où que j'aille.

L'aéroport était éloigné de la gare. Il devait y avoir une navette de bus mais, faute de temps, j'ai préféré prendre un taxi. La voiture a traversé la ville plongée dans les ténèbres. L'aéroport était situé au bord de la mer, à l'écart des zones urbaines. J'avais l'impression de voir les souvenirs précieux que nous avions édifiés tous les deux défiler par la vitre à une vitesse vertigineuse. Nous foncions vers l'avenir mais j'étais incapable d'y discerner la moindre lueur d'espoir. Au contraire, plus nous nous rapprochions de l'aéroport, plus j'étais gagné par le désespoir. Les jours heureux, vers où s'enfuyaient-ils ? Pourquoi le présent était-il si amer ? Il était si amer que ce ne pouvait pas être le vrai goût du présent.

— Saku'chan, est-ce que tu as emporté des mouchoirs en papier ?

— Pourquoi ?

— Je saigne du nez.

J'ai extrait de ma poche un paquet de mouchoirs publicitaire aux couleurs d'une société de crédit que quelqu'un distribuait dans la rue cet après-midi-là.

— Ça va ?

— Oui, ça devrait s'arrêter tout seul rapidement.

Mais lorsque nous sommes descendus du taxi, l'hémorragie n'était pas stoppée. Les mouchoirs, gorgés de sang, dégouttaient. J'ai sorti une serviette de toilette de mon grand sac de voyage. Aki l'a pressée contre son visage et est allée s'asseoir sur une banquette du terminal.

— Tu veux qu'on rentre ? ai-je demandé avec appréhension. Il est encore possible d'annuler notre départ.

— Emmène-moi ! implora Aki d'une voix à peine audible.

— Ce n'est pas la peine de partir à tout prix. On peut repousser notre départ à une autre fois.

— Si l'on ne part pas maintenant, on ne partira jamais.

Elle était livide. J'étais tétanisé à l'idée que nous montions à bord puis que son état s'aggrave en plein milieu du vol.

— Non, il vaut mieux rentrer.

— Je t'en prie !

Aki prit ma main dans les siennes. Elles étaient enflées, mouchetées de taches violacées. Quand je les ai empoignées, elles ont gardé l'empreinte de mes doigts.

— D'accord. Dans ce cas, ne bouge pas d'ici pendant que je vais au guichet d'enregistrement.

Je me suis dirigé vers le comptoir de la compagnie aérienne, résolu à vaincre tous les obstacles et à partir avec elle. Il n'y avait pas lieu d'avoir peur. Il n'était plus question de se perdre en conjectures sur l'avenir. Seul le présent continuait, éternellement.

A cet instant j'ai entendu un grand bruit derrière moi, comme un bagage qui chute. Lorsque je me suis retourné, Aki gisait au pied de la banquette.

— Aki !

Des gens s'étaient déjà regroupés autour d'elle quand je suis parvenu à ses côtés. Elle avait le nez et la bouche en sang. J'avais beau l'appeler, elle ne réagissait pas. « Trop tard ! » ai-je pensé. Il était trop tard pour tout : pour se marier, avoir des enfants. Trop tard pour réaliser le seul, l'ultime rêve qui nous restait, alors que nous étions si près du but.

— A l'aide ! ai-je crié à l'attention des badauds qui nous entouraient. S'il vous plaît, aidez-nous !

Des employés de l'aéroport sont arrivés. Quelqu'un s'est occupé d'appeler une ambulance. Cependant tout était différent maintenant. Où allais-je l'emmener ? Nous ne pouvions plus aller nulle part. Nous étions désormais cloués là pour l'éternité.

— Je vous en prie, aidez-moi.

J'ai perdu ma voix peu à peu. Face à Aki inanimée, je me suis mis à marmonner indéfiniment les mêmes paroles. Je lui disais que si elle n'était plus là, alors les gens autour de nous non plus n'étaient plus là. J'adjurais entre mes dents le Tout-Puissant, là-haut : aidez-nous, sauvez Aki, emmenez-nous loin d'ici. Mais mes prières sont restées sans effet. Nous ne sommes allés nulle part. Dehors, il a fait plus noir que jamais.

7

Les parents d'Aki ainsi que mon père sont arrivés à l'hôpital où Aki avait été transportée. Quand elle m'a aperçu, la mère d'Aki a détourné les yeux et s'est effondrée en larmes. M. Hirose, qui la soutenait, m'a contemplé par-dessus son épaule et a hoché la tête. Ils ont écouté les explications du médecin dans le couloir puis sont entrés dans la chambre. Mon père s'est assis à mes côtés sur la banquette. Il a posé sa main sur mon épaule sans dire un mot.

Des minutes interminables se sont écoulées. Mon père est revenu en tenant un gobelet en carton rempli de café.

— Ça brûle.

Mais j'étais totalement insensible à la chaleur. Si je n'avais pas gardé par précaution le gobelet à la main jusqu'à ce qu'il refroidisse, je l'aurais avalé sans me rendre compte que je m'ébouillantais.

Au bout d'une demi-heure, les parents d'Aki sont ressortis de la chambre. Mme Hirose, le visage enfoui dans son mouchoir, m'a dit à travers ses sanglots :

— Va la voir.

J'ai suivi les instructions de l'infirmière et j'ai revêtu la blouse stérile, le bonnet et le masque. Aki était alitée dans une chambre isolée. Elle avait un masque à oxygène sur le visage et une aiguille de perfusion piquée dans un bras. Lorsque j'ai touché son autre bras, elle a lentement ouvert les yeux. Nous étions seuls dans la pièce.

— C'est le moment de nous quitter, n'est-ce pas ? Il ne faut pas être triste.

J'ai secoué la tête sans énergie.

— Si l'on fait abstraction du fait que mon corps ne sera plus là, il n'y a aucune raison d'être triste, poursuivit-elle après une pause. Finalement, je crois que le paradis existe. Je crois qu'ici, c'est déjà le paradis.

— Alors je veux y aller avec toi, tout de suite !

Je ne suis pas parvenu à dire autre chose. Un sourire fugitif a effleuré ses lèvres.

— Je t'attends. Mais ce n'est pas la peine de te presser. J'ai beau partir, nous sommes ensemble pour toujours.

— Je sais.

— Il faudra que tu me retrouves…

— Mais je te retrouverai aussitôt.

Sa respiration se fit plus pénible et elle mit du temps à reprendre son souffle.

— Tout va bien. Car je sais maintenant où je vais.

— Mais tu ne vas nulle part, Aki.

— Si.

Elle ferma les paupières à l'appui de sa réponse.

— Je tenais à te dire que j'avais compris cela.

Aki semblait peu à peu de plus en plus lointaine : sa voix, l'expression de son visage, sa main que je tenais.

— Tu te souviens de ce jour d'été ? reprit-elle, comme des braises sur le point de s'éteindre se raniment à un souffle de vent. Nous flottions sur ce petit bateau au milieu de la mer...

— Oui, je me souviens.

Les paroles qu'elle prononça s'étouffèrent dans sa gorge et je ne les compris pas. Il était temps de me retirer. Est-ce qu'elle allait partir en me laissant d'elle ce dernier souvenir pareil à une paroi de verre verticale ?

Une mer d'été d'un bleu limpide s'étendait à perte de vue dans ma tête. Il y avait là tout ce qu'il fallait. Je n'y manquais de rien. Tout ce dont j'avais besoin y était à ma portée. Mais lorsque je tendais la main vers ce souvenir, elle me revenait couverte de sang. Il aurait fallu que nous continuions à flotter éternellement au milieu de la mer. Il aurait fallu que nous devenions, Aki et moi, des reflets d'argent.

L'appontement de l'embarcadère se dessinait à travers la brume. On entendait le roulement des petits galets que les vagues brassaient en retombant doucement sur le rivage. Des cris d'oiseaux retentissaient dans la montagne. Ce n'était pas une seule espèce, mais plusieurs espèces d'oiseaux qui semblaient se répondre.

— Quelle heure est-il ? demanda Aki qui était encore allongée sur le lit.

— Sept heures et demie, ai-je répondu après avoir jeté un coup d'œil à ma montre. Il y a encore de la brume mais elle devrait se lever très vite. Cela va encore être une chaude journée.

Nous avons descendu les bagages et nous sommes allés nous débarbouiller dans le réservoir d'eau à l'arrière du bâtiment. Nous avons déjeuné simplement d'un peu de pain et de jus de fruit. Nous avions trois heures devant nous avant l'arrivée d'Ooki. Nous avons décidé d'aller nous promener au bord de la mer.

Grâce à la pluie qui était tombée, la matinée était

fraîche malgré la saison. Le chemin qui menait à la côte avait été bétonné, mais le revêtement était maintenant crevassé de toutes parts et de petites plantes sauvages avaient jailli dans les fissures. Elles étaient encore trempées de l'ondée de la veille. Nous avons longé le rivage d'un pas tranquille sans presque dire un mot. Des gouttelettes d'eau s'étaient déposées dans les toiles d'araignée dont les cabines de plage étaient tapissées. Elles réfléchissaient les rayons du soleil avec un éclat satiné.

Aki ramassa un petit galet tandis que nous marchions à la lisière des vagues.

— Regarde, il a la forme d'une tête de chat !

— Montre.

— Ici ce sont les oreilles. Là c'est la bouche.

— C'est vrai. Tu l'emportes ?

— Oui. Ce sera un souvenir des moments passés ici avec toi.

Nous sommes allés nous asseoir sur l'embarcadère. Le bateau d'Ooki est arrivé à l'heure prévue.

— Eh bien, ma mère n'allait pas fort du tout, claironna celui-ci en lançant la corde dès qu'il fut à portée de voix.

— C'est bon, Ooki.

— Comment ça, c'est bon ?

Ooki jeta un regard soupçonneux à Aki. Celle-ci baissa la tête vers le sol en rougissant légèrement.

— Allons-y, ai-je proposé.

Un gros cumulo-nimbus s'était élevé dans la direction de l'est. Son sommet rond et moelleux, illuminé par le soleil, avait les reflets de la nacre. Le canot, manœuvré par Ooki, s'était mis en route sans encombre. Nous pouvions encore voir la plage sur la gauche, de même que la grande roue et les rails des montagnes russes. La lumière de l'été exaltait le vert foncé de la montagne, lavée par la pluie. Il n'y avait presque pas de vagues, la mer était calme. De nombreuses méduses flottaient à la surface de l'eau. La proue du bateau se frayait une voie à travers elles.

— Vous n'avez rien entendu ? demanda soudain Aki.

Le bateau était parvenu à hauteur de la pointe nord de l'île. Un énorme rocher se jetait à cet endroit dans la mer. Il était entouré de récifs sombres aux formes découpées. Nous avons tendu l'oreille mais il n'y avait aucun bruit anormal.

— Arrête donc un peu le moteur ! ai-je hurlé à l'intention d'Ooki.

— Qu'est-ce qu'il y a ? a répondu celui-ci en relâchant la manette des gaz.

Lorsque le moteur fut à bas régime, nous avons entendu un grondement sourd : « Boum, boum… » Ce grondement se répétait à intervalles réguliers avec toujours la même sonorité. Je n'avais jamais rien entendu de pareil. C'était un bruit assez angoissant.

— Qu'est-ce que c'est ? interrogea Aki.

— Ce sont les grottes, répondit Ooki. Il y a des grottes à l'extrémité de l'île.

Ooki actionna à nouveau la manette des gaz et fit repartir le canot. Mais, après quelques longueurs, le rythme du moteur sembla s'essouffler, puis le bateau finit par s'immobiliser en hoquetant. Ooki s'empara du cordon de démarrage du hors-bord et tira dessus vigoureusement afin de le faire repartir. Mais il eut beau répéter la manœuvre plusieurs fois, le moteur ne voulut rien savoir et se contenta d'émettre d'absurdes borborygmes.

— Ooki, laisse-moi faire un essai. Toi, tu tiens la manette des gaz.

Je me suis arc-bouté au fond du bateau et j'ai tiré d'un coup sec. Après plusieurs tentatives, le moteur sembla s'ébrouer et être sur le point de redémarrer. Mais lorsque Ooki fit tourner la manette des gaz pour augmenter le régime, il s'étrangla à nouveau et s'arrêta en trépidant.

— On ne va jamais y arriver ! maugréa Ooki.

— Je suis désolée. Tout ça c'est parce que je me suis inquiétée pour rien.

— Mais ce n'est pas de faute, Hirose.

— Je crains que la seule solution ne soit d'appeler des secours sur la radio, avançai-je.

— Encore faudrait-il qu'il y ait une radio, répondit Ooki avec brusquerie.

Le bateau était doucement ballotté par les vagues. L'île des rêves était visible au loin. Nous avons sorti un tournevis de la boîte à outils et ôté le couvercle du moteur mais avons été incapables de repérer la cause de la panne.

— Je ne vois rien d'anormal, déclara Ooki en inclinant la tête.

— Peut-être qu'il manque de l'huile.

— Non, il en reste.

— Que faire ? s'alarma Aki.

— Il passera bien un bateau à un moment ou un autre, tenta de la rassurer Ooki.

Peu après midi il se mit à pleuvoir. Nous tournâmes nos visages vers le ciel pour nous laisser arroser. La pluie ne dura pas. Le soleil de l'été fit sa réapparition. Le bateau avait continué à dériver, et l'île avait disparu.

— Quand on regarde comme ça, la ligne d'horizon paraît légèrement incurvée, dit Aki qui appuyait son menton sur le rebord du canot et regardait au loin en plissant les yeux.

— Ce n'est pas très étonnant. La terre est ronde, au cas où tu ne le saurais pas.

— Je sais bien que la terre est ronde, mais ça fait drôle tout de même de le constater de ses propres yeux.

— Et pourtant c'est ainsi.

— C'est certainement chez moi une survivance de vieilles croyances, du temps où l'on pensait que la terre était plate comme une galette et où l'on imaginait que l'eau de la mer se déversait par un côté comme une cascade.

Nous avons continué de scruter l'horizon. Finalement, Ooki a crié : «Navire en vue !» Nous nous sommes retournés et nous avons aperçu un bateau de pêche qui se dirigeait vers nous. Nous nous sommes levés tous les trois et avons fait de grands signes de la main. Le bateau a ralenti l'allure et s'est approché de nous jusqu'à une distance de moins de cinq mètres.

— Ce n'est pas Ryûnosuke que je vois là ? s'exclama le capitaine.

— Tu le connais ? ai-je chuchoté.

— C'est un voisin. C'est M. Kutsuda.

Ooki expliqua notre situation à M. Kutsuda. Celui-ci nous lança une corde qu'Ooki attacha à la proue de son canot. Puis notre embarcation fila à petite vitesse dans le sillage du bateau de pêche.

— Nous sommes sauvés, fit Ooki en poussant un soupir de soulagement.

— Regardez ! cria Aki en nous interrompant.

Dans la direction qu'elle nous désignait, à la frontière entre la zone nuageuse et le ciel bleu, un grand arc-en-ciel s'était formé. La naissance de l'arc était estompée de chaque côté et le demi-cercle n'était pas complètement dessiné. Je suis resté longtemps absorbé dans sa contemplation. Au bout d'un moment, je me suis aperçu que chaque couleur se décomposait en d'infimes nuances, qu'entre chaque couleur, entre le rouge et le jaune, entre le bleu et le vert, s'intercalait une gamme de teintes infinies. Toutes ces variations colorées, les ongles flexibles du vent les arrachaient comme de la peau brûlée sur le dos de la fin de l'été, et la lumière du soleil les dissolvait dans l'atmosphère. Le ciel scintillait comme s'il avait été parsemé de myriades d'éclats de verre.

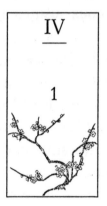

Les funérailles d'Aki eurent lieu à la fin du mois de décembre par un jour glacial. Dès le matin, des nuages bas et gris avaient envahi le ciel, et le soleil n'avait jamais percé. De nombreux élèves et professeurs du lycée assistèrent à la cérémonie. Cela rappelait les obsèques du professeur principal d'Aki lorsque nous étions en troisième. A l'époque, celle-ci avait lu l'oraison funèbre. Cela remontait à deux ans. J'étais incapable de réaliser qu'il s'était écoulé deux ans. Je n'aurais pas su dire si cela faisait longtemps ou pas. J'avais complètement perdu la notion du temps.

Alors qu'un représentant des élèves lisait l'oraison en l'honneur d'Aki, il est tombé une violente averse de grêle. Malgré l'agitation qui a gagné l'assistance, il a lu son discours jusqu'au bout. Beaucoup de filles pleuraient. Puis on a brûlé de l'encens pour le repos de l'âme de la défunte. Conformément au rite funéraire, nous avons allumé les bâtonnets et nous avons joint les mains devant l'autel. Lorsque j'ai relevé la tête, j'ai eu le portrait d'Aki, barré de noir, sous les yeux. C'était une photo qui cherchait à la représenter sous un jour idéal, comme une belle jeune fille, pure de toute imperfection. Une telle photo ne pouvait pas prétendre être ressemblante. Du moins n'était-ce pas l'Aki que moi je connaissais.

La plupart des invités n'escortèrent pas le cercueil au-delà de la porte du temple, mais il me fut permis de l'accompagner jusqu'au crématorium. Je montai avec les proches et la famille à bord du minibus des pompes funèbres et nous avons suivi le corbillard à toute petite vitesse. De la neige fondue tombait par intermittence, ce qui amenait le chauffeur à actionner les essuie-glaces de temps en temps. Le crématorium se situait à l'extérieur de la ville, au pied des montagnes. Le cortège a lentement monté la route morne qui serpentait entre des rangées de cyprès. Nous avons longé une casse pleine d'épaves de voitures. Nous sommes même passés devant un poulailler industriel. Je songeais à Aki que l'on traînait à travers ces faubourgs lugubres pour être réduite en cendres.

Des images d'elle en pleine santé flottaient devant mes yeux. Nous étions en seconde, c'était l'automne et je l'avais raccompagnée un soir jusque chez elle. Ses cheveux retombaient sur ses épaules et faisaient ressortir la blancheur de son corsage. J'avais la vision de nos deux ombres projetées sur un mur en parpaings. Puis elle apparaissait, faisant la planche à mes côtés, un après-midi d'été. Elle se concentrait pour maintenir les yeux fermés, et ses cheveux s'étalaient à la surface de l'eau. Je revoyais la naissance de sa gorge dont la peau blanche, mouillée, avait des reflets scintillants... Lorsque j'ai compris que c'était ce corps qu'on allait réduire en poussière, j'ai été envahi par une telle fébrilité qu'il m'est devenu presque insoutenable d'être coincé à ma place. J'ai ouvert la fenêtre du bus et j'ai plongé mon visage dans l'air glacé. Quelque chose qui n'était ni de la neige ni de la pluie s'est déposé sur ma peau en fondant. Que ne lui avais-je dit cela... Que n'avais-je fait cela pour elle... J'étais assailli de pensées qui me traversaient l'esprit puis s'évanouissaient comme les flocons qui atteignaient mon visage.

Pendant l'incinération, alors que le saké était servi aux adultes, je suis allé faire les cent pas dans l'arrière-cour du bâtiment, qui était à proximité immédiate de la montagne. Le talus était couvert de plantes brunes desséchées par le froid. De la cendre noire avait été jetée à un endroit qui semblait être utilisé comme dépotoir. Tout était calme, on n'entendait ni voix humaine ni cri d'oiseau. Mais dans le silence, j'ai fini par percevoir le ronronnement discret du four. Sous le coup de la stupeur, j'ai levé les yeux vers le ciel. La cheminée de briques rouges s'y découpait et de la fumée s'échappait de son orifice carré souillé par la suie.

J'ai été saisi d'un sentiment d'étrangeté. Je contemplais, s'élevant paisiblement dans le ciel d'hiver, la fumée produite par la combustion du corps de la personne qui m'était la plus chère au monde. Je suis resté planté là un long moment, à suivre des yeux son ascension. Elle s'élevait en variant du noir au blanc. A la fin, elle prenait une teinte grise qui se confondait avec les nuages. Lorsqu'elle s'est volatilisée complètement, mon cœur est devenu parfaitement vide.

La nouvelle année a commencé. Les années que j'avais vécues avec Aki se sont effeuillées en même temps que les dernières pages de l'ancien calendrier. J'ai passé toute la semaine de congé du Nouvel An à regarder la télévision dans le salon. Je ne suis quasiment pas sorti de la maison. Je ne suis pas même sorti pour la visite traditionnelle au sanctuaire du quartier. La télévision diffusait des programmes de variétés et des jeux rassemblant des vedettes endimanchées. Je ne connaissais ni leur visage ni leur nom. Je ne percevais rien des couleurs renvoyées par l'écran. A la place des vedettes qui s'exclamaient bruyamment et qui éclataient de rire, je ne voyais que des taches noires et blanches qui finissaient par se dissoudre, au milieu d'un morne brouhaha, dans le décor étrange.

Chaque jour était la répétition d'un cycle qui me voyait me tuer et ressusciter. Le soir avant de m'endormir, je priais pour ne pas me réveiller dans le même état ou, du moins, pour ne pas me réveiller dans un monde où Aki n'existait pas. Mais lorsque venait le matin, j'ouvrais les yeux sur un monde vide et glacé. Aki n'était pas là. Néanmoins, à l'image du Christ surmontant un accès de désespoir, je parvenais à ressusciter. Une nouvelle journée commençait. Je prenais mon petit déjeuner. Je parlais aux autres. Lorsqu'il pleuvait, j'ouvrais mon parapluie, je mettais à sécher mes vêtements mouillés. Mais tous ces gestes étaient dépourvus de sens. Ils n'avaient pas plus de sens que le bruit produit par un piano dont on frappe le clavier au hasard.

Je refaisais souvent le même rêve. Il était inspiré par cette réflexion d'Aki concernant l'horizon et la vieille croyance qui voulait que la terre soit plate comme une galette et que la mer se déverse par le bord comme une cascade. Je lui répondais : « Même si cette histoire de cascade est vraie et que la mer tombe dans le vide à un bout du monde, cet endroit est si éloigné qu'aucun bateau ne peut parcourir une telle distance, et donc c'est comme s'il n'existait pas. » A peine avais-je terminé de prononcer ces paroles qu'en me retournant je découvrais que nous n'étions qu'à quelques mètres d'une cataracte dans laquelle les eaux, mues par une force prodigieuse, s'engouffraient sans le moindre bruit. J'incitais Aki à se jeter à l'eau et nous nous mettions à nager dans la direction opposée à la chute. La mer qui nous semblait calme à bord du bateau était en fait entraînée par un courant puissant vers la cascade. Nous nagions avec l'énergie du désespoir, agitant frénétiquement les bras et les jambes. A la fin, après une longue lutte, le courant faiblissait et je me rendais compte que nous étions sortis de la zone dangereuse. Cependant, lorsque je relevais la tête, Aki n'était plus à mes côtés. A ce moment-là, j'entendais des cris. En me retournant, je l'apercevais se débattant dans l'eau bouillonnante qui l'entraînait vers la cascade. Elle était ballottée par les remous comme un bouchon par la houle. Elle pleurait, poussait des cris de terreur en agitant les bras. Les eaux se déversaient dans le gouffre juste derrière elle. L'absence totale de bruit rendait l'aspect de la mer plus effrayant encore. Je m'élançais alors dans sa direction et nageais de toutes mes forces. Mais j'étais sûr d'arriver trop tard. Je savais que j'arriverais trop tard. Je nageais tout en sachant qu'aussi vite que j'aille je ne la rejoindrais pas à temps. La voix d'Aki, lointaine, me parvenait encore. Je lui répondais en criant moi-même. Je hurlais son nom. Mais ses mains, son visage, ses cheveux qui s'étalaient à la surface de la mer, tout cela était emporté par le courant. Ses yeux ouverts, emplis de terreur et de désespoir, étaient avalés avec l'eau bleue et disparaissaient définitivement.

Même après le commencement du nouveau trimestre, j'ai continué d'éprouver un sentiment de vide. Le fait de retrouver mes camarades de classe ne fut ni un motif de distraction ni une source de consolation. Je faisais semblant de prendre plaisir à converser avec eux mais je ne ressentais rien de tel. Je n'étais pas vraiment là et mes mots sonnaient faux. La personne qui s'exprimait devant mes amis me paraissait vide. Sa voix n'était pas la mienne. Dans le même temps, leur présence à eux me devenait pénible. Je me suis mis à éviter les lieux fréquentés. J'ai commencé à aimer la solitude. Je suis devenu incapable de comprendre que j'existais parmi et avec les autres. C'était comme si j'avais été seul au monde.

Je revenais à la maison. J'étalais sur mon bureau mes manuels et mes livres d'exercices et je me mettais à travailler. Je pouvais rester absorbé dans mes devoirs pendant des heures. Résoudre un problème de calcul intégral ou consulter mon dictionnaire d'anglais étaient des activités qui ne me causaient aucune souffrance. Dans la mesure où elles ne laissaient pas de place à l'émotion, elles étaient même relativement agréables. Il arrivait pourtant que je sois assailli à l'improviste. Un jour par exemple, je tombai au milieu d'une longue phrase en anglais sur l'expression *raining cats and dogs*. Je ne pus m'empêcher de repenser à cet après-midi où nous avions été surpris, Aki et moi, dans la rue par une averse. C'était elle qui portait le parapluie. Nous avions continué notre chemin en nous blottissant l'un contre l'autre, mais il tombait de telles trombes d'eau que lorsque nous étions arrivés chez elle nous étions tous les deux trempés jusqu'aux os. Aki était allée chercher une serviette de toilette. Mais elle s'était ravisée car il était parfaitement inutile que je me sèche, et j'étais retourné tel quel chez moi sous le parapluie qu'elle m'avait prêté. Pendant que je me laissais entraîner par ce souvenir, j'ai senti mon cœur me cuire à la manière de la peau brûlée après un coup de soleil.

Chaque jour qui passait était complètement isolé du précédent. Le temps ne s'écoulait pas dans la continuité. J'avais perdu toute notion de durée. Je ne savais plus ce que c'était qu'une chose qui se développe progressivement, qui se transforme. Si je vivais, c'était comme un être d'un instant sans rapport avec l'être de l'instant d'après. L'avenir n'existait pas, j'étais hors d'état d'envisager de quelconques perspectives. Quant au passé, lorsque j'y touchais, des souvenirs s'en écoulaient comme du sang. Je tripotais ces souvenirs et je laissais le sang s'épancher. Il finirait bien par se figer, par former une croûte dure. Même si je touchais aux souvenirs d'Aki, peut-être qu'alors je ne ressentirais plus rien.

Quelque temps après la fin des fêtes du Nouvel An, j'étais en train de regarder la télévision chez mon grand-père lorsqu'un écrivain connu fit son apparition sur le plateau d'un talk-show et en vint à parler de l'au-delà. Il affirmait que l'au-delà existait. Les êtres humains y survivaient dans un état de fusion de la conscience et du corps. Au moment de la mort, nous quittions notre corps comme un vêtement. Notre conscience se détachait de notre cadavre, tel un papillon sortant de sa chrysalide, pour se diriger vers l'autre monde. On y retrouvait les êtres qui nous étaient chers, tous ceux qui nous avaient précédés. L'«au-delà» nous envoyait toutes sortes de signes. Mais les hommes, conditionnés par le mode de pensée rationnel, ne les percevaient généralement pas. C'est pourquoi il convenait de rester attentif afin de ne pas les manquer. Tels étaient les propos que tenait cet écrivain dont la personne, par ailleurs, dégageait une impression de malpropreté.

— Qu'est-ce que tu en penses, grand-père ? ai-je

demandé une fois l'émission terminée. L'au-delà existe-t-il ? Est-ce qu'il existe un monde où il serait possible d'être à nouveau réuni avec ceux que l'on aime ?

— Ce serait une bonne chose, répondit mon grand-père, dont le regard restait fixé sur l'écran.

— Pour ma part, je n'y crois pas un seul instant.

— C'est sans doute regrettable.

— Cela ne tient pas debout, cette idée qu'on retrouve les autres morts. Est-ce que cela ne te paraît pas évident ? me suis-je écrié, commençant à m'enflammer.

Mon grand-père parut embarrassé et rétorqua :

— Ton chagrin te fait voir les choses sous un jour sombre.

— Mais j'ai longuement réfléchi. Pourquoi les hommes en sont-ils venus à imaginer l'existence d'un au-delà ?

— Pourquoi, d'après toi ?

— Parce qu'ils étaient confrontés à la mort des personnes qu'ils aimaient.

— Ah bon.

— Les hommes ont inventé l'au-delà parce que des gens qui leur étaient chers mouraient. Comme c'étaient toujours les autres qui mouraient, ils n'avaient pas conscience d'être eux-mêmes mortels. Cette idée d'une vie après la mort était une façon pour ceux qui restaient de sauver ceux qui disparaissaient. En ce qui me concerne, je crois que tout cela n'est que mensonge. L'au-delà, le paradis ne sont que des fictions forgées par l'homme.

Mon grand-père s'est emparé de la télécommande posée sur la table et a éteint le téléviseur.

— La mort est une chose terrible pour nous autres, ici-bas, Sakutaro. S'il n'y a pas de vie après la mort, s'il n'y a pas de renaissance, alors la mort n'est que néant. Est-ce qu'il n'y a rien de plus terrible ?

— Peut-être, mais c'est un fait. On n'y peut rien.

— C'est une façon de voir.

— Quand je lis que les chrétiens prétendent que la mort est une chose merveilleuse qu'il ne faut pas redouter, j'enrage. C'est absurde. C'est le comble de l'arrogance. La mort n'est en rien merveilleuse. C'est quelque chose d'affreux et de vide de sens. Il n'y a pas à sortir de là.

Mon grand-père contemplait le plafond sans dire un mot. Puis, sans bouger, il a déclaré :

— On rapporte que Confucius, qui s'abandonnait pourtant avec confiance au Ciel, lorsqu'il apprit la mort de son disciple favori, se lamenta en s'écriant : « Hélas, le Ciel m'anéantit, le Ciel m'anéantit. » On dit aussi que le grand maître bouddhiste Kôbô Daishi Kukaï lui-même, qui enseignait qu'il n'y a ni naissance ni destruction, n'a pu s'empêcher de verser des larmes à la mort d'un de ses disciples.

Se tournant alors vers moi, il poursuivit :

— Pourquoi est-il si pénible de perdre un être que nous aimons ?

Comme je me taisais, il continua :

198

— N'est-ce pas parce que nous étions attaché à cet être de son vivant ? La séparation et l'absence ne sont pas tristes en tant que telles. C'est parce que des sentiments préexistaient que la séparation est déchirante, que nous gardons le regret de la personne disparue, qu'il nous est si difficile de surmonter notre chagrin. Mais par là même, la douleur et le chagrin ne sont qu'une manifestation unilatérale de la profondeur de l'amour que nous portions à cet être.

— Je ne comprends pas ce que tu veux dire.

— Imaginons que quelqu'un meure. S'il s'agit de quelqu'un qui nous est totalement indifférent, sa mort n'a, à nos yeux, aucune importance. Nous ne nous soucions même pas de savoir ce dont cette personne est morte. C'est parce que la personne qui meurt est quelqu'un dont nous redoutions la disparition qu'elle meurt. En d'autres termes, la mort d'un être est indissociable des sentiments qu'on lui porte. C'est parce que nous aimions cet être que son absence devient problématique, que sa perte nous cause de la douleur. Quant à ce qui peut mettre des bornes au chagrin de ceux qui restent, on en revient toujours là : la séparation est pénible mais il faut espérer être à nouveau réuni un jour avec l'être dont nous pleurons la perte.

— Toi, grand-père, tu crois que tu retrouveras un jour cette personne ?

— Sakutaro, quand tu dis que tu ne crois pas à ces retrouvailles, est-ce que ce n'est pas une question de forme ?

Je n'ai pas répondu.

— Si tu penses que tout ce qui existe a nécessairement une forme visible, alors notre vie manquerait singulièrement de saveur. La personne que nous aimons ne réapparaîtra pas devant nos yeux avec l'apparence qu'elle avait du temps de sa vie terrestre. Déjà, ici-bas, nous étions unis indépendamment de notre apparence physique. Au cours de ces cinquante années, il ne s'est pas écoulé un seul instant sans que nous soyons unis.

— Est-ce que ce n'est pas quelque chose dont tu t'es convaincu toi-même ?

— Bien **sûr** qu'il entre une part de conviction. Il y aurait quelque chose de mal dans le fait d'avoir une conviction ? Est-ce qu'il n'entre pas une part de conviction dans n'importe quelle science ? Dès lors que l'homme utilise son cerveau pour penser, il ne peut pas ne pas faire appel à ses convictions. Alors bien sûr, il n'est jamais question que de la violence, de la force des convictions. Mais dans la mesure où il répond de ses convictions, un scientifique est tout à fait en droit d'appliquer son œil à son microscope ou à son télescope. Quant à nous qui ne sommes pas des scientifiques, nous pouvons utiliser d'autres instruments. Comme par exemple l'amour.

— Qu'est-ce que tu viens de dire ?

— J'ai dit amour, amour. Tu ne sais pas ce que c'est que l'amour ?

— Bien sûr que je sais ce que c'est. Mais, sortant de ta bouche, le mot sonnait bizarrement.

— J'utilise ce mot, mais il est vrai qu'il n'a pas, dans ma bouche, le sens qu'on lui donne ordinairement.

Tout cela n'était que lubie de vieille personne, ai-je pensé. Depuis qu'Aki était morte, je ne voyais que tromperie, que pâles excuses dans la sympathie que les adultes pouvaient me témoigner, dans leur prétendue « expérience du monde ». Leurs démonstrations me laissaient à chaque fois un sentiment d'irréalité. J'étais incapable d'adhérer à des arguments qui ne s'accordaient pas avec la réalité de son absence.

— Elle n'a pas voulu que j'assiste à ses derniers instants, ai-je murmuré, révélant ainsi quelque chose qui me pesait. C'est comme si elle avait refusé de me voir. Pourquoi a-t-elle fait cela, d'après toi ?

— Nous n'avons ni l'un ni l'autre été présents lors du dernier soupir de celle que nous aimions, murmura mon grand-père sans répondre directement à ma question.

— Mais pourquoi n'a-t-elle pas souhaité que je reste à ses côtés jusqu'à la fin ?

— Sakutaro, les hommes sont confrontés à toutes sortes de séparations. Ce qui est étrange, c'est que nous soyons passés l'un et l'autre par la même expérience. Il ne nous a pas été permis d'être unis à celle que nous aimions et nous n'avons pas pu être auprès d'elle au moment de sa mort. Je comprends ton amertume. Cependant, je continue de penser que la vie est une bonne chose. Quelque chose de magnifique. Le Sakutaro d'aujourd'hui ne peut pas s'en rendre compte mais j'en suis persuadé : la vie est magnifique.

Mon grand-père sembla s'immerger longuement dans les paroles qu'il venait de prononcer. Puis, se tournant à nouveau vers moi, il me lança :

— Quelle est la vraie nature de la beauté, d'après toi ?

— Je passe, ai-je répliqué froidement.

— Il y a dans la vie des choses qu'il ne nous est pas possible de réaliser, m'exposa-t-il alors. Et les choses que nous réussissons, nous les oublions en général aussi vite. Cependant, les choses que nous n'avons pas pu accomplir, nous les gardons précieusement au fond de notre cœur. Ce sont nos rêves, nos aspirations. La beauté de la vie ne repose-t-elle pas sur les sentiments que nous entretenons à l'égard de ce que nous n'avons pas pu réaliser ? Que nous ne l'ayons pas concrétisé ne veut pas dire que cela a été vain. Cela s'est déjà réalisé d'une certaine façon. Cela s'est réalisé comme beauté.

J'ai pris la télécommande et j'ai rallumé le téléviseur. Il diffusait des émissions désespérément mornes, comme si la fatigue des fêtes avait émoussé les enthousiasmes.

— Quand je zappe comme ça bêtement, j'ai l'impression qu'elle peut apparaître d'un moment à l'autre, dis-je en appuyant à répétition sur la télécommande.

— Comme si c'était un gadget de Doraemon[1], n'est-ce pas ?

— Je suppose, oui.

— Tu sais, si l'on découvrait une machine de cette sorte, qui permette de parler facilement avec les morts, je crois que les hommes deviendraient plus mauvais qu'ils ne le sont.

— Plus mauvais ?

— Quand tu penses à celle qui a disparu, est-ce que tu ne te sens pas transporté vers un monde plus élevé ?

Je me suis tu, sans chercher à approuver ni à contester.

— Face aux morts, nous ne pouvons pas nourrir de sentiments mauvais. Nous ne pouvons pas nous montrer égoïstes ou calculateurs. L'être humain est ainsi fait. Prenons ton exemple. Quel genre de sentiments éprouves-tu à l'égard de cette jeune fille ? Du chagrin, du regret, de la compassion… Tel que tu es aujourd'hui, tu es empli d'amertume. Mais il n'entre aucun mauvais sentiment dans ce que tu ressens. Cette expérience t'aide à grandir, toi qui es en train de faire l'apprentissage de la vie. Pourquoi la mort d'un être précieux nous rend-elle meilleurs ? Sans doute parce que la mort est hermétiquement

---

1. Doraemon, un des plus célèbres personnages de manga du Japon, est un robot ayant toujours à portée de main, dans sa poche quadridimensionnelle, les gadgets les plus invraisemblables.

séparée de la vie, qu'elle est totalement imperméable aux tentatives de la vie pour agir sur elle. C'est ainsi qu'elle nous aide à grandir, qu'elle est un fertilisant.

— A t'entendre, j'ai l'impression que tu veux à toute force me consoler.

— Pas du tout. Ce n'est pas mon intention, rétorqua mon grand-père avec un sourire contraint. Je le voudrais que cela ne servirait à rien. Personne ne peut te consoler. Tu ne peux surmonter cette épreuve que par toi-même.

— Toi, grand-père, comment y es-tu parvenu ?

— J'ai pris le parti d'envisager la situation inverse, dit-il, semblant fouiller dans sa mémoire. Si c'était moi qui étais mort en premier, comment cela se serait-il passé ? me suis-je demandé. S'il en avait été ainsi, c'est cette personne qui aurait éprouvé la peine que j'éprouve face à sa mort. Il lui aurait sans doute été difficile de violer ma sépulture pour s'emparer de mes cendres. Je ne sais même pas si elle aurait pu s'appuyer sur un petit-fils comme toi, Sakutaro. De ce point de vue, on peut dire qu'en lui survivant je l'ai en quelque sorte déchargée de tous ces tracas. Finalement, elle n'a pas eu trop à pâtir de la façon dont les choses se sont arrangées.

— Et tu as pu entrer en possession de ses cendres.

Une grande noblesse de sentiments se peignait sur le visage de mon grand-père.

— Mais n'est-ce pas aussi ton cas ? Sakutaro, tu as de la peine à cause d'elle. Mais elle est morte, et elle est hors d'état de s'affliger de ce qui lui arrive. C'est pourquoi tu as du chagrin pour elle. Autrement dit, tu as du chagrin à la place de cette personne disparue. Est-ce que ce n'est pas une façon pour toi de commencer à vivre en elle ?

Après un moment de réflexion, j'ai lâché :

— Tout cela me semble purement intellectuel.

— Certes, mais c'est bien ainsi, répondit-il avec un sourire serein. C'est le principe même de la pensée. Il ne faut pas être dupe quand on a le sentiment d'être parvenu à des conclusions définitives. On a beau croire qu'elles sont définitives, avec le temps on s'aperçoit de leur fragilité. Il convient alors de réexaminer les points par où pèche notre raisonnement. Ce faisant, petit à petit, on s'imprègne de plus en plus profondément de ce que l'on pense. C'est ainsi que cela se passe.

Nous nous sommes tus et nous avons prêté l'oreille au bruit qui nous parvenait du dehors. Le vent s'était levé et balayait la façade. Par intervalles, le bâtiment était ébranlé par des rafales violentes qui menaçaient de faire sauter de leur châssis les fenêtres de la véranda.

— Va en Australie, dit mon grand-père d'un ton doux. Va voir avec elle le sable et les kangourous.

— Ses parents ont l'air d'avoir l'intention de disperser ses cendres en Australie.

— Il y a toutes sortes de façons de pleurer les morts.

— Quand elle était encore en bonne santé, je lui ai raconté comment nous étions allés tous les deux voler les cendres dans le cimetière.

— Ah oui.

— Nous avons même jeté un coup d'œil dans la boîte que tu m'as confiée.

Je guettais sa réaction mais il resta les bras croisés, les yeux fermés.

— Tu es froissé ?

Il rouvrit les yeux en souriant.

— Ce que je t'ai confié, tu es libre d'en faire ce que tu veux.

— C'est après avoir regardé les cendres de celle que tu aimais que nous nous sommes embrassés pour la première fois. Je ne sais pas pourquoi. Je n'en avais pas la moindre intention. C'est arrivé naturellement.

Mon grand-père resta longuement silencieux avant de souffler :

— C'est une belle histoire.

— Oui, mais maintenant c'est elle qui est réduite en cendres.

La zone de l'Outback dévolue aux aborigènes était un désert aride situé dans le territoire du Nord, un pays riche de falaises et d'escarpements abrupts et couvert d'arbustes. Notre Land Cruiser progressait en cahotant sur un chemin poussiéreux sillonné de profondes ornières. En longeant la rivière, on apercevait des constructions de pierre abritant des stations de relais de télécommunication. Devant nous, aucune habitation n'était visible. Ce n'était qu'une immense plaine parsemée de taches vertes. Des melons poussaient dans les champs. La route se poursuivait tout droit, indéfiniment. La chaussée avait cessé d'être goudronnée dès que nous avions quitté la ville. A cause du nuage de poussière soulevé par la voiture, on ne voyait rien par la lunette arrière. Bientôt, aux terres cultivées ont succédé des ranchs d'élevage. Des troupeaux de bovins défilaient de chaque côté de la route. Des vaches mortes étaient abandonnées au milieu de la prairie. Des oiseaux se rassemblaient sur leurs cadavres gonflés par la chaleur.

Nous sommes arrivés dans une petite ville comme on en voit dans les westerns. Il faisait une chaleur étouffante, l'air était chargé de poussière. Il y avait un restaurant ressemblant à un pub à côté de la station-service. Nous nous y sommes rendus pour nous reposer et nous restaurer par la même occasion. Un groupe d'hommes jouaient aux fléchettes près de la porte d'entrée. Dans la salle sombre, des chauffeurs de poids lourds et des ouvriers du bâtiment avalaient des *meat pies* en vidant des bières. Tous arboraient des tatouages sur des biceps dignes de Popeye. Chacune des cuisses velues qui sortaient de leur short était quasiment aussi grosse que mon torse.

— Est-ce que c'est vrai que c'est en référence au crétacé que vous avez appelé Aki comme ça ? ai-je demandé à Mme Hirose qui était assise à côté de moi.

Celle-ci avait les yeux dans le vague. Elle s'est tournée vers moi, surprise, et a acquiescé en cherchant ses mots :

— C'est-à-dire... oui. C'est mon mari qui a eu l'idée de ce prénom. Mais pourquoi cette question ?

— Parce que je croyais que c'était en référence à l'automne. C'est ce que j'ai toujours cru, depuis la première fois que je l'ai rencontrée. Dans les lettres, son nom n'était jamais écrit à l'aide d'idéogrammes chinois mais en katakanas[1], si bien que je ne pouvais pas deviner qu'il avait un autre sens.

Mme Hirose partit d'un léger rire.

---

1. Ecriture syllabique simplifiée du japonais.

— Rien n'était simple avec cette enfant ! En réalité, sur l'état civil, le caractère chinois qui se lit « hiro » dans « Hirose » n'est pas celui que l'on utilise communément.

Elle a dessiné d'un doigt sur sa paume un idéogramme compliqué.

— Ecrire tous ces idéogrammes à la suite, ceux de son prénom et de son nom, avec tous leurs traits, était trop fastidieux. Cette enfant a décidé de se simplifier la vie en écrivant son prénom à l'aide des katakanas. C'est une habitude qu'elle a prise dès l'école élémentaire.

M. Hirose et le guide local dont il avait loué les services à Cairns étaient en train d'étudier la carte qu'ils avaient étalée sur le comptoir.

— Le territoire sacré des aborigènes se trouve à une cinquantaine de kilomètres en allant vers le sud, a expliqué le guide qui avait séjourné un certain temps au Japon et parlait couramment notre langue. La zone est interdite mais j'ai obtenu un permis spécial.

— On peut y accéder en voiture ? interrogea M. Hirose.

— Il faudra sans doute marcher un peu sur la fin.

— Est-ce que je pourrai vous suivre ? s'est inquiétée Mme Hirose en se joignant à leur conversation.

Le guide a esquissé un sourire indéfinissable et, sans sortir de sa réserve, a demandé :

— Est-ce que vous ne voulez pas aller disperser les cendres de votre fille ?

— Quelle enfant étrange tout de même ! a alors murmuré Mme Hirose. Dans les derniers jours avant qu'elle ne disparaisse, c'était obsessionnel, cela semblait proche du délire. Elle avait l'esprit certainement profondément troublé, mais cela semblait lui tenir tellement à cœur... Nous aurions du mal à nous le pardonner, si nous ne le faisions pas.

J'ai regardé par la fenêtre. A l'ombre d'un acacia, un aborigène barbu entre deux âges ingurgitait le contenu d'une bouteille de vin enveloppée dans un sac en papier kraft. Un groupe de jeunes Noirs coiffés de chapeaux de cow-boys est passé à ses côtés. Même là, en Australie, je n'arrivais pas à réaliser qu'Aki était morte. Je ne pouvais pas m'ôter de l'idée qu'elle était quelque part, que je finirais par la retrouver.

Le garçon a déposé devant moi un énorme hamburger et une bouteille de Coca-Cola. Me voir continuer à manger alors que je n'avais pas le moindre appétit devenait presque comique.

La plaine brune s'étendait à perte de vue : paysage sans forêt où les herbes sauvages s'agrippaient désespérément à une terre desséchée. Quelques eucalyptus étaient agglutinés au sommet d'une colline érodée par le vent. De gigantesques rochers rejetés lors de l'éruption d'anciens volcans étaient disséminés çà et là. Quasiment pas la moindre trace d'animaux. Dans la journée, ils se reposaient à l'ombre des rochers ou dans des trous, avait expliqué le guide. Faute de macadam, la voiture s'enfonçait parfois dans la terre meuble, ocre, et menaçait de basculer. Nous avons croisé à plusieurs reprises des cadavres de kangourous. Ils avaient déjà l'aspect de fourrures flasques abandonnées sur le bord rouge de la piste. J'avais le réflexe de me retourner mais les cadavres disparaissaient aussitôt dans le tourbillon de poussière.

Nous avons roulé une bonne heure avant d'arriver en vue d'une haute et dense futaie. Une petite rivière coulait en lisière des arbres. Des eucalyptus blanchâtres avaient planté leurs racines dans le lit peu profond. Un camping-car était arrêté sur la rive. Non loin de là, deux familles de type européen étaient réunies autour d'un barbecue. Tout le monde était assis par terre et sirotait de la bière. Notre guide est descendu de la voiture et s'est dirigé vers le groupe. En réponse à la question posée d'un ton enjoué, on a vu se lever dans la direction de la rivière des assiettes en papier remplies de viande grillée.

— C'est de l'autre côté de la rivière, apparemment, a dit en revenant l'Australien à M. Hirose qui était assis au volant. Je vais vous guider.

Sans enlever ses brodequins, l'homme est entré dans l'eau pour sonder le fond et faire traverser le

Land Cruiser à gué. Les pique-niqueurs nous observaient avec curiosité. Une fois la rivière passée, le guide est revenu s'asseoir à côté de M. Hirose.

— Bon, allons-y !

Un chemin de sable s'enfonçait dans la pénombre du bois. Le père d'Aki conduisait précautionneusement comme quelqu'un qui s'avancerait, avec la plus extrême prudence, à l'intérieur d'un halo d'une clarté sinistre. Le crépuscule d'une blancheur bleuâtre transparaissait faiblement entre les arbres. Cette lumière blafarde se diffusait jusque sur le sol sablonneux.

— Je ne comprends pas encore très bien ce que les aborigènes entendent par le « Rêve », dit M. Hirose.

— Le « Rêve » a beaucoup de significations différentes, répondit le guide. Cela peut faire référence aux ancêtres mythiques d'une tribu. Par exemple quand une tribu possède un wallaby du Rêve, cela signifie que le wallaby est considéré comme l'ancêtre primordial.

— Le wallaby dont vous parlez est un animal ? demanda Mme Hirose.

— Non, dans ce cas le wallaby appartient au monde du Rêve. Il est un ancêtre légendaire. Cet ancêtre a créé à la fois l'animal « wallaby » et les aborigènes eux-mêmes. C'est-à-dire qu'ils sont les descendants de cet ancêtre wallaby au même titre que les wallabies.

— Ce qui veut dire qu'ils sont des frères ?

— Exactement. Pour une telle tribu, tuer et manger des wallabies serait la même chose que manger leurs propres frères.

— C'est intéressant, s'enthousiasma M. Hirose. En fait, c'est du totémisme.

— En plus de cela, chacun a ses Rêves particuliers, poursuivit le guide.

— En quoi cela consiste-t-il ? demanda M. Hirose.

— Ce que votre mère a vu au moment de votre naissance, l'animal ou la plante qu'elle a vu en rêve à ce moment-là, devient un être qui partage avec vous la même âme. Ce Rêve ne doit en aucun cas être divulgué. Il demeure votre secret et vous lui rendez un culte personnel.

— Il y a donc le Rêve de la tribu et les Rêves des individus.

— Tout à fait.

Très rapidement, il devint difficile de distinguer ce qui nous environnait. Ce n'était pas tellement la portée du regard qui s'était amenuisée. On avait plutôt perdu le sens des distances, de sorte que les objets lointains nous paraissaient proches et les objets proches, hors d'atteinte.

— Chez les aborigènes, on enterre les morts deux fois, continua le guide. La première fois est un enterrement ordinaire, une inhumation. Puis au bout de deux ou trois mois, on déterre le corps, on rassemble les ossements, on les dispose tous, sans exception, de la tête aux pieds, sur l'écorce d'un arbre, tel qu'était le défunt de son vivant. Puis on place les ossements dans un rondin évidé. C'est le deuxième enterrement.

— Pourquoi cette coutume ? interrogea Mme Hirose.

— La première fois est un enterrement destiné au corps, la deuxième cérémonie est destinée aux ossements.

— Ce n'est pas illogique ! s'exclama M. Hirose.

— Avec le temps, les ossements sont emportés par les intempéries et retournent à la terre. Tout ce que le cadavre contenait de sang et de sueur s'infiltre dans le sol et est entraîné vers la source sacrée au centre de la terre. L'âme du mort suit le même chemin. Elle atteint la source sacrée. Les aborigènes croient qu'elle devient un esprit et qu'elle vit là pour l'éternité.

La végétation était de plus en plus dense et, lorsqu'il devint trop difficile d'avancer, nous sommes descendus de la voiture. Entre-temps, la futaie avait laissé la place à un paysage de brousse. Les branches grêles et contournées des arbustes se tordaient et s'enchevêtraient dans tous les sens, donnant naissance à un spectacle bizarre. Le chemin était devenu si étroit qu'il ressemblait à une piste animale. On n'entendait que le bruit de nos pas. De temps en temps, quelque chose bougeait dans les broussailles mais nous n'apercevions aucun être vivant.

Après avoir dépassé une concentration de buissons recouverts d'épines acérées et semblables à d'énormes hérissons, nous avons débouché sur une plaine d'un brun délavé. A partir de là, il n'y avait plus rien qui puisse nous permettre de nous repérer. A part quelques bosquets touffus d'eucalyptus, ce n'était qu'une vaste étendue aride. Personne ne parlait. Le ciel restait clair. J'avais l'impression de marcher depuis des heures mais en réalité nous ne nous étions pas mis en route depuis plus d'une demi-heure. Mes lèvres gerçaient à cause de la sécheresse de l'air. J'avais soif. J'avais envie de boire de l'eau fraîche, mais en même temps cette soif me semblait être le fait de quelqu'un d'autre que moi.

Puis nous avons foulé un terrain inégal, caillouteux et sablonneux. Des sortes de cycas se dressaient aux abords de rochers cyclopéens. De grands oiseaux marron tournoyaient haut dans le ciel. Nous avons escaladé un éboulis assez raide pour parvenir à un replat où quelques arbres avaient pris racine. Ils avaient perdu toutes leurs feuilles. Leur écorce grise était sillonnée de rides comme le visage de vieilles femmes. Un oiseau dont je ne connaissais pas le nom a crié. Un lézard a couru sur une grosse pierre desséchée.

— C'est le bon endroit, a déclaré le guide.

— Vous croyez qu'ici c'est bien ?

Mme Hirose semblait réticente.

— Vous savez, c'est partout pareil alentour.

— Allons-y ! a tranché M. Hirose.

— Vas-y, toi ! a soufflé Mme Hirose en lui tendant l'urne.

— Faisons-le tous les trois.

J'ai eu dans le creux de la main une poudre blanchâtre, froide au contact. Je ne savais pas ce que c'était. Et même si mon cerveau savait ce dont il s'agissait, toute mon âme se hérissait pour refuser l'évidence. Me rendre à cette évidence, c'eût été signer ma destruction. Mon cœur serait tombé en poussière, comme un pétale gelé auquel on applique une simple chiquenaude.

J'ai entendu la voix de Mme Hirose :

— Au revoir, Aki.

De la cendre blanche s'est échappée des mains des parents d'Aki. Elle a été emportée par la brise et s'est dispersée dans le désert ocre. Mme Hirose pleurait. Son mari l'a prise par l'épaule. Il l'a entraînée sur le chemin du retour. Je ne bougeais pas. Il me semblait que ce qui s'éparpillait ainsi sur cette terre rouge, c'étaient des morceaux de moi-même. Pas plus que la cendre, je ne pouvais espérer les récupérer et les réunir.

— Il faut y aller, m'a exhorté le guide. La nuit va bientôt tomber. Les nuits sont rudes dans le désert.

4

Lorsque je suis rentré d'Australie, le printemps s'annonçait déjà. Les examens de fin d'année furent bientôt terminés et les cours ne présentèrent pas davantage d'intérêt que les matchs pour les places d'honneur dans un championnat de base-ball. Sur le chemin du lycée, ou bien quand je m'ennuyais pendant les cours, il m'arrivait souvent de regarder le ciel. Je pouvais rester longtemps absorbé dans sa contemplation. Je me demandais : «Est-ce qu'elle est là-haut ?» J'avais l'impression de sentir la présence d'Aki dans tout ce qui me parvenait du ciel, que ce soit la lumière froide des derniers jours d'hiver ou bien la douce clarté des jours annonciateurs du printemps. Parfois un nuage venait de nulle part et traversait l'espace au-dessus de moi. C'est ainsi, au gré des nuages allant et venant, qu'une saison a, peu à peu, cédé la place à la suivante.

Par un chaud dimanche de la mi-mars, j'ai demandé à Ooki de m'emmener sur l'île. Quand je lui ai expliqué de quoi il retournait, il a accepté de bon cœur de sortir en mer. Nous avons attaché le bateau à l'appontement et je me suis éloigné. Ooki m'a dit qu'il resterait à m'attendre sur l'embarcadère. En ce mois de mars, l'eau était encore froide et limpide. La lumière douce faisait scintiller les vagues qui venaient polir les galets. En s'approchant de l'eau, on apercevait des crabes d'une teinte assortie aux rochers, qui s'enfuyaient en rampant en direction du large. Des anémones de mer aux fraîches couleurs dressaient leurs tentacules entre les galets, des mollusques à la coquille blanchâtre spiralée étaient accrochés aux plus grosses pierres. Curieusement, mon regard n'était attiré que par de menues choses.

Les abords d'une anse profonde où les vagues ne parvenaient pas étaient couverts de fleurs roses ressemblant à du liseron. Elles étaient survolées par une piéride aux ailes bleutées. Je me suis rappelé les machaons que nous avions vus l'année précédente dans le jardin, derrière l'hôtel. Par association d'idées, ce qui s'était passé cette nuit-là m'est revenu à l'esprit. Portés par la nostalgie, les moindres événements ont resurgi et se sont mis à briller comme autant de points lumineux éblouissants. Ils rayonnaient avec un tel éclat que je ne pouvais pas croire qu'ils avaient réellement existé.

Près de la digue qui s'élevait en bordure du rivage, se dressait une vieille statue de pierre à l'effigie de Jizo Bosatsu[1]. Je ne savais pas qui l'avait

---

1. Divinité bouddhique ayant l'apparence d'un bonze, protectrice des voyageurs et des enfants.

érigée ni dans quel but. Peut-être était-ce quelqu'un qui avait autrefois survécu à un naufrage en mer. Il n'y avait pas trace d'autel. Le monument était simplement là, exposé aux intempéries. Les embruns avaient accéléré l'érosion de la pierre et l'on ne distinguait plus ni les yeux ni les lèvres. Seule l'arête du nez restait visible. C'était une ligne à peine saillante au centre du visage. Mais justement à cause de cette absence de traits marqués, il émanait du Bosatsu une impression de douceur.

Je me suis assis sur du gravier sec à côté de la statue et j'ai contemplé la mer paisible. Des myriades de points lumineux clignotaient parmi les touches de bleu qui semblaient avoir été appliquées à grands coups de brosse horizontaux. Le soleil illuminait le cap verdoyant qui fendait la mer à ma gauche, si bien que chacune des branches des pins qui poussaient en bosquets se découpait avec une extrême netteté. Le paysage était d'une telle beauté que c'était dommage d'en être le seul spectateur. Si j'avais pu le regarder avec Aki ! Il en allait ainsi chaque jour : je passais mon temps à faire des vœux impossibles à réaliser.

J'ai prononcé son nom à voix basse. Plus que n'importe qui au monde, j'étais digne de former ces syllabes avec mes lèvres. Cependant, son visage mit du temps à me revenir. D'ailleurs, j'avais le sentiment qu'il me fallait de plus en plus de temps pour me le remémorer. Un jour viendrait où cela me demanderait autant d'effort que d'aller récupérer une photo dans un vieil album. J'ai été envahi par l'appréhension. Est-ce que le souvenir d'Aki était en train de s'éroder comme le Bosatsu de la plage ? Est-ce qu'avec le temps il ne resterait plus d'elle que son prénom ? Ce prénom que j'avais prononcé pendant des années en croyant qu'il voulait dire « automne ».

Je me suis allongé sur le gravier et j'ai fermé les yeux. L'intérieur de mes paupières était rouge. Le même rouge que l'année précédente quand nous étions allés nager. Cela m'a fait bizarre de penser que, tout comme à ce moment-là, du sang rouge continuait de couler dans mes veines.

J'ai fini par m'endormir sur place. J'ai ouvert les yeux quand j'ai entendu mon nom. Ooki me considérait avec suspicion.

— Qu'est-ce qui se passe ? ai-je lancé en me redressant.

— C'est plutôt à moi de poser la question ! rétorqua-t-il. Je ne te voyais pas revenir, je me suis inquiété.

Ooki s'est assis à mes côtés. Nous avons regardé la mer sans rien dire. Le vent qui venait du large avait une forte odeur de marée. Dans le ciel, le soleil avait continué de tourner au-dessus du cap et brillait maintenant à l'aplomb du large.

— Même maintenant, j'ai l'impression qu'elle est là. Ici, près de nous, au loin là-bas. Où que je me trouve, il me semble qu'elle est toute proche. Ooki, tu penses que c'est une hallucination ?

— Ben, c'est-à-dire...

Ooki, embarrassé, laissa sa phrase en suspens.

— Je pense qu'aux yeux des autres cela doit passer pour une hallucination.

Nous nous sommes tus et nous avons continué à contempler l'étendue marine. Ooki a ramassé un caillou qui se trouvait à portée de sa main et l'a lancé en direction de l'eau. Puis il a recommencé je ne sais combien de fois.

— Tu n'as jamais rêvé que tu volais ? lui ai-je demandé au bout d'un moment.

Il m'a dévisagé d'un air perplexe.

— Tu veux dire dans un avion ou un truc de ce genre ?

— Non, comme Ultraman[1] par exemple. Tu n'as jamais rêvé que tu volais par tes propres moyens ?

— Mais c'est du rêve... Tu sais, tu es libre de rêver ce que tu veux, a-t-il dit en riant.

— Toi, tu ne fais pas de rêve que tu ne puisses réaliser ?

— Non, je ne crois pas.

Il a ramassé un autre caillou, qu'il a lancé vers la mer. Le caillou a rebondi à la limite des vagues en faisant un bruit mat puis a coulé au fond de l'eau.

— Pourquoi est-ce que tu rêves de voler ? a-t-il insisté.

---

1. Equivalent japonais de Superman. (*N.d.T.*)

J'ai repris le fil de la conversation là où nous l'avions laissée.

— Voler dans le ciel par ses propres moyens est quelque chose d'irréalisable. C'est théoriquement impossible.

— Certes, acquiesça-t-il avec circonspection.

— Mais dans mon rêve, je vole effectivement. C'est quelque chose de matériellement impossible mais ce n'est pas ce que je pense quand je rêve. Je ne pense pas un seul instant que ce rêve n'est pas rationnel. Et même si je me dis cela, ça ne m'empêche pas de continuer à voler. J'ai un sentiment de réalité parce que je peux survoler la ville, parce que je contemple plein de choses depuis les airs. Il ne s'agit donc pas d'une hallucination.

— D'accord, mais c'est un rêve, glissa Ooki.

— Oui, c'est un rêve, ai-je convenu.

— Où veux-tu en venir, alors ?

— Aki est morte. Son corps a été incinéré et réduit en cendres. Ces cendres, ma main les a dispersées dans le désert. Malgré tout, elle existe. Je ne peux pas m'empêcher de penser qu'elle existe. Ce n'est pas une hallucination. C'est une certitude incontestable. De même que dans mon rêve je ne peux pas nier que je vole, je ne peux pas nier qu'elle existe. Même si je ne peux pas le prouver, le fait que je sente qu'elle existe est indéniable.

Quand j'ai fini mon exposé, Ooki m'a regardé avec une mine pitoyable.

— Tu crois que je fais des rêves moi aussi ?

Sur le chemin du retour jusqu'à l'embarcadère, en traversant la plage, je suis tombé en arrêt devant un galet particulièrement brillant. Lorsque je l'ai ramassé, je me suis aperçu que ce n'était pas un galet mais un morceau de verre aux angles arrondis et polis par les vagues. Dans l'eau, il avait l'aspect d'une pierre précieuse aux reflets verts. Je l'ai glissé dans la poche de mon blouson.

Alors que nous étions en vue du ponton, Ooki m'a demandé :

— Ce n'est peut-être pas la peine d'aller jusqu'à l'hôtel, tu ne crois pas ? Cela te rappellerait trop de souvenirs...

J'ai eu l'impression un instant que quelque chose dans ma poitrine se glaçait, se durcissait. Je n'ai pas répondu. J'ai juste expiré profondément. Ooki n'a plus rien dit.

J'ai sorti de la poche de mon blouson un petit flacon en verre transparent. A l'intérieur, il y avait quelque chose qui ressemblait à du sable blanc.

— C'est ce que j'ai gardé de ses cendres.

— Tu veux les disperser ? demanda-t-il, non sans trahir un certain malaise.

— Je ne sais pas.

Avant de me rendre sur l'île, mon intention avait été de disperser les cendres dans la mer. C'est parce que j'avais annoncé cela à Ooki que celui-ci m'avait emmené à bord de son bateau.

— J'ai l'impression que ce n'est pas le bon moment. Je les ai apportées mais maintenant je ne sais pas quoi faire.

— Si c'est le cas, tu ferais mieux de les remporter, me conseilla Ooki d'un air préoccupé. Tu vas les disperser et après tu le regretteras. Il faut que tu fasses cela le jour où tout sera clair dans ton esprit. Ce jour-là, tu peux compter sur moi, je te ramènerai ici.

A cause de la marée descendante, le bateau était tout en bas du pilotis de l'appontement. La mer paisible était d'un bleu à pleurer.

— Tu as déjà entendu Hirose chanter ? m'a demandé Ooki à brûle-pourpoint. Au collège, un jour, nous avons eu un test de chant. On nous a fait chanter tout un tas de vieilles rengaines comme « Wakai Chikara[1] » ou « Okuru Kotoba[2] ». La voix d'Hirose était toute fluette, absolument inaudible. Même pour moi qui étais assis sur le banc juste devant elle.

— Tout à coup quelqu'un s'est mis en colère et a crié qu'on n'entendait rien.

— Exactement. Alors sa voix s'est faite encore plus petite, elle-même est devenue rouge à faire pitié et elle a chanté pendant tout le reste de la séance la tête baissée.

— Tu t'en souviens drôlement bien.

---

1. Jeunes Forces.
2. Les mots que je te destine.

— Ben quoi... ça ne veut pas dire... balbutia Ooki un peu décontenancé. Cela ne veut pas dire que je l'aimais particulièrement. Enfin, je l'aimais bien... mais cela n'avait rien à voir avec ce que tu éprouvais, toi.

Moi aussi je me suis souvenu d'Aki en train de chanter. C'était un épisode sans rapport avec la séance de chant du collège. La nuit où nous avions dormi dans l'hôtel de l'île, pendant que nous préparions le repas, je m'étais rendu compte qu'il me manquait quelque chose et j'étais allé le chercher dans la chambre du deuxième étage. Quand j'étais redescendu, Aki était en train de couper des légumes en chantonnant. J'étais resté en arrêt sur le seuil de la cuisine et j'avais tendu l'oreille. Elle avait en effet une toute petite voix. On ne comprenait pas les paroles, on ne pouvait même pas saisir la mélodie mais elle se sentait bien et elle chantait. Je m'étais dit qu'elle devait chantonner ainsi quand elle faisait la cuisine chez elle. Je savais qu'il suffirait que je lui adresse la parole pour qu'elle arrête. J'étais resté sur le seuil pour l'entendre chanter.

— Finalement je n'y touche pas, ai-je déclare en me levant et en fourrant le flacon dans ma poche.

— D'accord, acquiesça Ooki avec un air de soulagement.

J'ai senti au fond de ma poche, du bout des doigts, un objet froid. Quand je l'ai retiré, je me suis aperçu que c'était le morceau de verre que je

225

venais de ramasser sur la plage. Peut-être était-ce dû au contact de l'air mais la surface en était devenue terne et blanchâtre. Au fond de l'eau il m'avait semblé aussi splendide qu'une pierre précieuse, et maintenant ce n'était qu'un banal bout de verre. Je m'en suis débarrassé en le lançant vers la mer. Il a dessiné un joli arc de cercle dans les airs et est allé retomber dans les vagues.

— On y va, play-boy ? a lancé Ooki derrière moi.

Je me suis retourné :

— Tu sais ce qu'il te dit, le play-boy ?

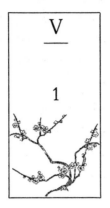

V

1

La végétation sur la colline du château était encore d'un vert tendre. A la suite de récents travaux de réfection, les peintures avaient été refaites et les murs du donjon étaient d'une blancheur éclatante. Gravissant le chemin qui menait à l'enceinte principale depuis la porte du Nord, j'ai vu que le bois touffu qui se trouvait anciennement à mi-hauteur avait été défriché pour permettre la construction d'un musée des Arts et Traditions populaires.

Depuis l'enceinte du château, on avait une vue sur toute la ville. A l'est s'élevaient les montagnes, à l'ouest s'étendait la mer. Les travaux de remblai avaient continué au cours des dix dernières années ; l'urbanisation avait peu à peu grignoté la baie, si bien que la mer semblait avoir spectaculairement rétréci.

— On a une belle vue d'ici, dit-elle.

— La ville ne présente pas grand intérët, me suis-je excusé. Je suis un peu gêné de t'emmener faire un tour et de n'avoir rien de particulier à te montrer.

— Toutes les villes ne regorgent pas de lieux célèbres et de sites historiques. Le monastère était intéressant. J'aurais bien aimé rencontrer ton grand-père de son vivant.

— Peut-être que vous vous seriez bien entendus.

— Tu crois ?

Nous nous sommes tus. Notre regard était attiré par la baie. De-ci de-là sur son pourtour et sur les îles avoisinantes, des fleurs rose pâle avaient éclos aux branches des cerisiers.

— Je t'avoue que je me demandais si tu ne me racontais pas des bobards, confessa-t-elle. Cela paraissait tellement rocambolesque, tellement romantique aussi. Mais aujourd'hui, quand j'ai vu la tombe et que tu m'as dit que c'était là, je n'ai pas pu faire autrement que de te croire.

— Rien ne dit que mon bobard n'est pas plus élaboré que tu ne penses.

Après un instant de réflexion, elle a levé les yeux d'un air malicieux.

— Tu as raison

— Ce serait peut-être dangereux pour toi de croire à cent pour cent, d'une certaine façon.

— Parfois, moi non plus je n'arrive plus à faire la différence entre le rêve et la réalité, à savoir si les événements du passé se sont réellement produits. Même les gens que j'ai bien connus jadis, au bout d'un certain temps, après leur mort, j'en viens à me demander s'ils ont réellement existé.

Le sentier du côté sud était plus sauvage que celui du versant nord. Le passage était toujours aussi étroit, la pente aussi raide, les promeneurs aussi rares. Les marches tapissées de mousse, la terre rouge qui affleurait : tout cela n'avait pas changé. A un endroit dans la descente, au milieu d'un bosquet d'arbustes, j'ai trouvé ce que je cherchais.

— Qu'est-ce qu'il y a ?

— Des hortensias !

Elle s'est contentée de jeter un coup d'œil en passant et s'est retournée :

— Cela n'a rien d'extraordinaire !

— La floraison est vraiment en avance, ai-je lâché d'un ton léger en me remettant en marche.

Quelque chose tremblait faiblement au fond de ma poitrine. Au bout de quelques mètres, j'ai lancé :

— Cela n'a pas beaucoup changé par ici

— Tu venais souvent ?

— Non, je ne suis venu qu'une seule fois.

Elle a éclaté de rire.

— A t'entendre, on a l'impression que tu connais l'endroit par cœur.

— C'est l'impression que ça donne mais c'est vrai, je ne suis venu qu'une seule fois.

Au retour, je l'ai emmenée en voiture jusqu'au collège. Le parterre de fleurs devant le portail était orné de violettes.

— C'est le collège où j'ai fait mes études.

— Ah, répondit-elle en abaissant la vitre. Tu ne veux pas qu'on entre regarder ?

Le bâtiment, que je n'avais pas vu depuis bien longtemps, était devenu sale et paraissait en piteux état. Le mur d'enceinte en parpaings, noirci par la pluie, penchait légèrement sur la rue. Peut-être en raison des vacances de printemps ou bien parce qu'il était déjà tard dans l'après-midi, la cour de récréation était déserte. Même les terrains de base-ball et de football qui étaient toujours occupés par des joueurs à l'entraînement quand, à l'époque, il m'arrivait de les traverser étaient vides. Nous sommes entrés par le portail.

— C'est devenu bien morne, ici, ai-je murmuré, faisant vibrer en moi de lointaines émotions.

— Les années de collège sont tellement loin ! s'est-elle exclamée d'une voix éclatante en trottant vers le portique.

Elle est devenue une figure à l'arrière-plan. Je me suis parlé à moi-même intérieurement : « Nous allions à ce collège ensemble. » C'était ici que j'avais rencontré Aki... Il me semblait que cela remontait à des dizaines d'années, que ces événements appartenaient, par-delà même le temps, à un monde lointain. Maintenant que je redécouvrais ce lieu avec les yeux d'Urashima[1], j'étais frappé par la présence des cerisiers en fleur dans la cour. A l'époque, je ne voyais pas ce genre de choses. J'avais sans doute passé toutes mes années de collège sans même me rendre compte que la cour était plantée d'une rangée de cerisiers. Et pourtant, à cet instant, elle était superbe.

Pendant ce temps un petit trou, pas plus grand qu'une piqûre d'épingle, s'était formé dans le tréfonds de mon âme. A la manière d'un trou noir, il absorba tout en un clin d'œil : le décor alentour, le temps qui s'était écoulé. Quand j'ai eu fini d'être propulsé vers ce passé qui me paraissait si éloigné, la voix d'Aki s'est soudain fait entendre :

— Quand c'était à mon tour de faire le ménage à l'école, j'aimais beaucoup nettoyer les tables de la classe. En frottant, je m'amusais à lire les vieux graffitis laissés par d'anciens élèves assis là des années auparavant, les déclarations d'amour qu'on avait gravées avec un couteau. Il y en avait que j'aurais voulu garder intacts...

Elle babillait tout près de mon oreille. Que j'étais nostalgique de cette petite voix timide ! Vers où étais-tu partie, tendre petite âme ? Ce que cet être

---

1. Urashima Tarô : personnage légendaire qui, après un séjour auprès des divinités des Eaux, revient sur terre. Mais le temps s'écoule beaucoup plus lentement sous les océans, et le monde qu'Urashima retrouve n'a plus rien à voir avec celui qu'il avait laissé... (*N.d.T.*)

appelé « Aki » recelait de beauté, de bonté, de délicatesse, vers où cela était-il allé ? Est-ce que cela
continuait sa course comme un train lancé à travers
une plaine enneigée à la clarté des astres nocturnes ?
Sans direction précise, suivant une trajectoire impossible à déterminer selon nos normes terrestres ?

Ou bien, peut-être qu'un jour cela reviendrait.
Peut-être que ce qui s'était volatilisé réapparaîtrait
un matin, là où on l'avait laissé. Avec la même
beauté, avec la même apparence qu'autrefois. Et
précisément à cause du temps écoulé depuis sa
disparition, on aurait une plus grande impression
de nouveauté. Ce serait comme si, en attendant,
quelqu'un d'inconnu l'avait conservé précieusement. Si l'âme d'Aki devait revenir, cela se
passerait sûrement ainsi.

J'ai sorti le petit flacon de verre que je gardais
dans ma veste. J'avais pris la résolution de ne
jamais m'en séparer tant que je vivrais. Mais cela
n'avait sans doute pas lieu d'être. En ce monde,
tout avait un commencement et une fin. Aki était
comprise entre ces deux limites. Cela suffisait pour
me contenter.

Quand j'ai tourné les yeux vers le portique, j'ai
aperçu la jeune femme qui se donnait beaucoup de
peine pour se hisser le long d'une barre verticale.
Elle avait enroulé ses jambes autour de la barre à
travers sa jupe et soulevait son corps petit à petit en
montant alternativement les mains. La nuit commençait à tomber. Pendant que je l'ai observée, sa

silhouette s'est progressivement fondue avec les agrès dans l'obscurité. Est-ce que je n'avais pas déjà vu Aki de là où je me trouvais ? La silhouette d'Aki se hissant le long de cette barre dans ce coin de la cour au crépuscule ? Cependant je ne savais pas s'il s'agissait d'un vrai souvenir.

Le vent s'était levé. Il emportait les pétales des cerisiers. Il en parvenait jusqu'à mes pieds. J'ai à nouveau contemplé le flacon que je tenais à la main. Je ressentais une petite appréhension. Est-ce que je n'allais pas regretter ? Peut-être. Mais cette nuée de pétales était tellement belle.

J'ai doucement fait tourner le bouchon. Puis j'ai cessé de penser à ce qui allait se passer. J'ai orienté le flacon vers le ciel et, d'un geste ample, j'ai projeté le bras vers l'avant en dessinant un arc de cercle. La cendre blanchâtre a jailli dans le crépuscule comme de la neige poudreuse. A cet instant, une bourrasque de vent a fait voler des pétales de cerisier. Dispersées parmi ces pétales, les cendres d'Aki n'étaient déjà plus visibles.

Composé par Nord Compo
à Villeneuve-d'Ascq

Achevé d'imprimer sur les presses de

BUSSIÈRE

GROUPE CPI

à Saint-Amand-Montrond (Cher)
en décembre 2005

Édition exclusivement réservée
aux adhérents du Club
Le Grand Livre du Mois
15, rue des Sablons
75116 Paris
réalisée avec l'autorisation des éditions Presses de la Cité
ISBN : 2-286-01802-2

N° d'impression : 054698/1.
Dépôt légal : mars 2006.

Imprimé en France

idre 'r